LES
SOUPES

LES
SOUPES

Conseiller éditorial
DEBRA MAYHEW

Traduit de l'anglais par
DELPHINE NÈGRE

Sélection Champagne inc.

Édition originale 1999 en Grande-Bretagne par Lorenz Books
sous le titre *The Soup Bible*

Responsable éditoriale : Joanna Lorenz
Éditrice : Debra Mayhew
Responsable de fabrication : Ann Childers
Correcteur : Hayley Kerr
Maquettiste : Bill Mason
Illustratrice : Anna Koska

AUTEURS DES RECETTES
Catherine Atkinson, Alex Barker, Michelle Berriedale-Johnson, Angela Boggiano,
Janet Brinkworth, Carla Capalbo, Kit Chan, Jacqueline Clark, Maxine Clark, Frances Cleary,
Carole Clements, Andi Clevely, Trish Davies, Roz Denny, Patrizia Diemling, Matthew Drennan,
Sarah Edmonds, Joanna Farrow, Rafi Fernandez, Christine France, Sarah Gates, Shirley Gill,
Rosamund Grant, Rebekah Hassan, Deh-Ta Hsiung, Shehzad Husain, Judy Jackson,
Sheila Kimberley, Masaki Ko, Elisabeth Lambert Ortiz, Ruby Le Bois, Gilly Love, Lesley Mackley,
Norma MacMillan, Sue Maggs, Kathy Man, Sallie Morris, Annie Nichols, Maggie Pannell,
Katherine Richmond, Anne Sheasby, Jenny Stacey, Liz Trigg, Hilaire Walden, Laura Washburn,
Steven Wheeler, Kate Whiteman, Elizabeth Wolf-Cohen, Jeni Wright

PHOTOGRAPHES
Karl Adamson, Edward Allwright, David Armstrong, Steve Baxter, James Duncan,
John Freeman, Ian Garlic, Michelle Garrett, Amanda Heywood, Janine Hosegood, David Jordan,
William Lingwood, Patrick McLeary, Michael Michaels, Thomas Odulate, Juliet Piddington, Peter Reilly

Traduit de l'anglais par Delphine Nègre

Distribué par
Sélection Champagne Inc.
Montréal, Québec
(514) 595-3279

ISBN 2-84198-155-X
Dépôt légal : septembre 2000
Imprimé à Singapour

SOMMAIRE

INTRODUCTION

Page après page, recette après recette, laissez-vous séduire par l'univers coloré et savoureux des soupes : potages froids et légers pour vous rafraîchir en été, veloutés onctueux et raffinés pour flatter votre palais, bouillons épicés pour réchauffer vos soirées d'hiver ou soupes rustiques pour assouvir les plus gros appétits. En un mot, des soupes pour tous les goûts et toutes les occasions.

Rares sont les plats qui procurent autant de plaisir qu'une soupe faite maison et il n'est guère étonnant de constater qu'elles figurent dans toutes les cuisines du monde, sous forme de potages, de bouillons, de veloutés et d'autres consommés. Aujourd'hui, les magasins spécialisés et la plupart des supermarchés vous permettent de vous approvisionner en fruits, légumes et épices du monde entier. Un large éventail de soupes s'ouvre donc à vous.

Parmi les soupes d'Europe continentale, goûtez à la délicieuse *Soupe au pistou* provençale, au frais *Gaspacho* espagnol ou à la chaleureuse *Soupe de lentilles au lard et aux saucisses* allemande. Osez la traditionnelle *Soupe de pommes de terre au haddock* d'Écosse ou les potages fruités d'Europe centrale, telle la *Soupe de pommes* roumaine ou le classique *Bortsch* de Russie. Laissez-vous tenter par les soupes du continent africain, comme la *Soupe de poulet au vermicelle* du Maroc ou la *Soupe de gombos et de morue fumée* du Ghana. L'Orient offre des soupes claires et épicées, telle la traditionnelle *Soupe chinoise piquante* et l'étonnante *Soupe de crevettes à l'omelette* du Japon. Enfin, goûtez au *Gombo à la saucisse et aux fruits de mer* des États-Unis et à la *Soupe mexicaine au poulet et à l'avocat*.

Il est simple de préparer une délicieuse soupe, à condition de choisir des ingrédients frais et, si possible, de saison. Un bon bouillon forme la base de nombreuses préparations ou se consomme tel quel. Sa réalisation demande du temps, mais il est possible d'en préparer de grandes quantités, que l'on congèlera par petites portions. Vous trouverez ici des recettes de bouillons de légumes, de viande, de volaille et de fumet de poisson, ainsi que les bouillons de base chinois et japonais.

Une garniture originale mettra en valeur la plus simple des soupes, une présentation soignée ajoutant l'indispensable touche personnelle. Des croûtons à l'ail ou une julienne de poireaux frits, joliment disposés au centre du potage, lui donneront à la fois une texture contrastée et une saveur délicate. N'hésitez pas à vous inspirer des garnitures présentées dans cet ouvrage pour les adapter au gré de votre fantaisie.

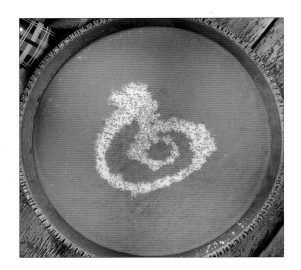

Chaque recette se décline étape par étape. Les illustrations sont là pour vous guider d'un bout à l'autre de sa réalisation. De superbes photographies en couleurs montrent le plat terminé. Prenez le temps d'essayer les nombreuses recettes présentées dans l'ouvrage : vous gagnerez vite en confiance et commencerez à les adapter, à les transformer au gré de votre imagination.

Si vous avez une alimentation végétarienne, le symbole ⬛️V figurant à côté du titre de la recette indique les préparations qui vous conviendront le mieux. Celles-ci ne contiennent ni viande ni poisson, mais souvent du fromage que vous pourrez remplacer par des substituts végétariens. Une version végétarienne du *dashi* japonais est suggérée à la suite de la recette classique. En outre, la plupart des potages de légumes ou de haricots se préparant avec un bouillon de volaille peuvent aussi être réalisés avec un bouillon de légumes.

Que vous soyez un néophyte dans l'art de confectionner les soupes ou un cuisinier chevronné souhaitant élargir son répertoire de recettes en ce domaine, ce livre complet et somptueusement illustré est fait pour vous. Inspirez-vous en et... dégustez !

CONFECTIONNER SES PROPRES BOUILLONS

Les bouillons frais sont indispensables pour préparer de bonnes soupes maison : ils ajoutent cette qualité gustative que l'eau seule ne peut égaler.

Si l'on peut trouver aujourd'hui des bouillons en cubes dans tous les supermarchés, ils se révèlent néanmoins onéreux, en particulier si vous devez en acheter de grandes quantités. Il est très facile et beaucoup plus économique de confectionner son propre bouillon, en utilisant des restes, que ce soient la carcasse du poulet du dimanche ou des carapaces de crevettes décortiquées.

Les bouillons que vous préparez vous-même ne sont pas seulement meilleur marché, ils sont aussi bien plus savoureux et nutritifs, car réalisés avec des ingrédients frais et naturels.

Vous pouvez, bien sûr, utiliser du bouillon en cubes ou en granulés, mais vérifiez toujours l'assaisonnement car ils ont tendance à être très salés.

Si vous consommez régulièrement des soupes, il peut être très utile de congeler votre bouillon dans des sacs de congélation ou dans des bacs à glaçons, de façon à toujours disposer d'une réserve à portée de main.

Le bouillon se conserve six mois au congélateur. Veillez à bien étiqueter les sacs pour faciliter leur identification.

Veillez à toujours employer le bouillon approprié au type de soupe que vous préparez. La soupe à l'oignon, par exemple, exige un bon bouillon de bœuf. Assurez-vous également de bien utiliser des bouillons de légumes si vos convives sont végétariens.

Les recettes suivantes vous permettront de confectionner des bouillons de légumes, de volaille, de viande et de poisson, ainsi que les bouillons de base des cuisines chinoise et japonaise.

V BOUILLON DE LÉGUMES

Ce bouillon polyvalent conviendra à toutes les soupes végétariennes.

INGRÉDIENTS

Pour 2,5 l/4½ pintes/11 tasses environ

- 2 poireaux grossièrement hachés
- 3 branches de céleri grossièrement hachées
- 1 gros oignon non pelé haché
- 2 morceaux de gingembre frais hachés
- 1 poivron jaune épépiné et haché
- 1 panais haché
- quelques pieds de champignons de Paris
- des peaux de tomates
- 45 ml/3 c. à soupe de sauce de soja claire
- 3 feuilles de laurier
- 1 bouquet de tiges de persil
- 3 brins de thym frais
- 1 brin de romarin frais
- 10 ml/2 c. à thé de sel
- du poivre noir fraîchement moulu
- 3,5 l/6 pintes/15 tasses d'eau froide

1 Réunissez tous les ingrédients dans une grande cocotte. Portez doucement à ébullition, puis baissez le feu et laissez mijoter 30 min, en remuant de temps en temps.

2 Laissez refroidir, égouttez, puis jetez les légumes. Le bouillon est prêt à être utilisé. Vous pouvez aussi le garder au réfrigérateur ou au congélateur pour un usage ultérieur.

FUMET DE POISSON

Le fumet de poisson est très rapide à réaliser. Demandez des têtes, arêtes et parures de poissons blancs à votre poissonnier.

INGRÉDIENTS
Pour 1 l13/4 pintes/4 tasses environ

700 g/11/2 lb de têtes, arêtes et parures de poissons blancs
1 oignon émincé
2 branches de céleri avec leurs feuilles, hachées
1 carotte émincée
1/2 citron émincé (facultatif)
1 feuille de laurier
quelques brins de persil frais
3 grains de poivre noir
1,3 l/21/4 pintes/6 tasses d'eau froide
150 ml/1/4 pinte/2/3 tasse de vin blanc sec

1 Rincez les têtes, les arêtes et les parures de poissons à l'eau froide. Mettez-les dans une cocotte avec les légumes, le citron, les herbes aromatiques, le poivre, l'eau et le vin. Portez à ébullition, en écumant souvent la surface, puis baissez le feu et laissez mijoter 25 min.

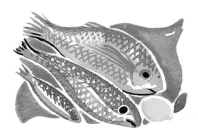

2 Passez le bouillon au tamis, sans écraser les ingrédients. Si vous ne l'utilisez pas immédiatement, laissez-le refroidir avant de le mettre au réfrigérateur. Le fumet de poisson doit être utilisé dans les 2 jours ou peut être congelé jusqu'à 3 mois.

BOUILLON DE VOLAILLE

Un bon bouillon de volaille maison forme la base de nombreuses préparations culinaires. Vous pouvez, par exemple, ajouter les abats de volaille (sauf le foie) aux ailes. Une fois prêt, ce bouillon se conserve 3 à 4 jours au réfrigérateur, dans un récipient hermétique, ou 6 mois au congélateur.

INGRÉDIENTS

Pour 2,5 l/4½ pintes/11 tasses environ

1,2 à 1,5 kg/2½ à 3 lb de poulet ou
   de dinde (ailes, dos et cous)
2 oignons non pelés, coupés en quatre
1 c. à soupe d'huile d'olive
4 l/7 pintes/17½ tasses d'eau froide
2 carottes grossièrement hachées
2 branches de céleri, si possible avec
   les feuilles, grossièrement hachées
1 petite poignée de persil frais
quelques brins de thym frais ou
   3,5 ml/¾ c. à thé de thym séché
1 à 2 feuille(s) de laurier
10 grains de poivre noir
   grossièrement concassés

1 Réunissez les ailes, les dos et les cous de volaille dans une cocotte avec les oignons et l'huile. Faites revenir à feu moyen, en remuant de temps en temps, jusqu'à ce que le mélange soit légèrement doré.

2 Mouillez avec l'eau et remuez bien pour détacher le fond de la cocotte. Portez à ébullition et écumez fréquemment la surface.

3 Ajoutez les carottes, le céleri, le persil, le thym, le laurier et le poivre. Couvrez partiellement la cocotte, puis laissez mijoter environ 3 h à feu doux.

4 Filtrez le bouillon et laissez-le refroidir avant de le placer au réfrigérateur pendant 1 h.

5 Quand il est bien froid, retirez délicatement la pellicule de graisse. Conservez le bouillon 3 à 4 jours au réfrigérateur ou plusieurs mois au congélateur.

BOUILLON DE VIANDE

Les soupes de viande doivent leur saveur à un bon bouillon de base. Une fois prêt, le bouillon de viande se garde 4 à 5 jours au réfrigérateur ou plusieurs mois au congélateur.

INGRÉDIENTS

Pour 2 l/3^1/$_2$ pintes/9 tasses environ

1,75 kg/4 lb d'os de bœuf (gîte, cou et jarret avant ou arrière), de porc, de veau ou d'agneau, coupés en morceaux de 6 cm/2^1/$_2$ po
2 oignons non pelés coupés en quatre
2 carottes grossièrement hachées
2 branches de céleri, si possible avec les feuilles, grossièrement hachées
2 tomates grossièrement hachées
4,5 l/7^1/$_2$ pintes/20 tasses d'eau froide
1 poignée de tiges de persil
quelques brins de thym frais ou 3,5 ml/^{3}/$_4$ c. à thé de thym séché
2 feuilles de laurier
10 grains de poivre noir grossièrement concassés

1 Préchauffez le four à 230 °C/450 °F. Mettez les os dans un plat à four et faites-les rôtir 30 min, en les retournant de temps en temps, jusqu'à ce qu'ils commencent à brunir.

2 Ajoutez les oignons, les carottes, le céleri et les tomates, et enduisez-les de graisse. Prolongez la cuisson de 20 à 30 min jusqu'à ce que les os soient bien dorés. Remuez et arrosez occasionnellement de jus.

3 Transférez les os et les légumes rôtis dans une cocotte. Retirez la graisse du plat à four et ajoutez un peu d'eau dans celui-ci, puis portez à ébullition sur le feu, en remuant bien pour détacher le fond. Mettez ce liquide dans la cocotte.

4 Versez le reste de l'eau dans la cocotte. Faites bouillir quelques secondes en écumant régulièrement la surface. Ajoutez le persil, le thym, le laurier et le poivre.

5 Couvrez partiellement la cocotte et laissez mijoter 4 à 6 h. Les os et les légumes devant toujours être recouverts de liquide, ajoutez de l'eau bouillante dès que cela s'avère nécessaire.

6 Passez le bouillon au tamis, puis dégraissez la surface autant que possible. Laissez de préférence refroidir le bouillon avant de le mettre au réfrigérateur : la couche de graisse qui se formera pourra s'ôter facilement.

BOUILLON DE BASE CHINOIS

Ce bouillon permet de confectionner toutes les soupes chinoises.

INGRÉDIENTS
Pour 2,5 l/4¹/₂ pintes/11 tasses environ

675 g/1¹/₂ lb de morceaux de poulet
675 g/1¹/₂ lb de travers de porc
3,75 l/6 pintes/16 tasses d'eau froide
3 à 4 morceaux de gingembre frais non pelé, écrasés
3 à 4 oignons nouveaux, chacun formant un nœud
45 à 60 ml/3 à 4 c. à soupe de vin de riz chinois ou de xérès sec

1 Parez le poulet et le porc, puis détaillez-les en gros morceaux.

2 Mettez les morceaux de viande dans une cocotte, puis versez l'eau. Ajoutez le gingembre et les oignons nouveaux.

3 Portez à ébullition, puis écumez la surface. Baissez le feu et laissez mijoter 2 à 3 h à découvert.

4 Passez le bouillon au tamis et ôtez le poulet, le porc, le gingembre et les oignons nouveaux. Ajoutez le vin de riz ou le xérès et portez de nouveau à ébullition. Laissez mijoter 2 à 3 min. Mettez le bouillon au réfrigérateur dès qu'il est refroidi : il se conservera 4 à 5 jours. Ou bien, congelez-le dans de petits récipients pour un usage ultérieur.

BOUILLON DE BASE JAPONAIS

Le dashi est un bouillon qui donne à de nombreuses préparations japonaises un petit goût caractéristique. Appelé Ichiban-dashi, *il s'utilise dans les plats délicatement parfumés, notamment les soupes. On trouve, bien sûr, du* dashi *instantané dans tous les supermarchés asiatiques, sous forme de granules, concentrée ou même en sachet. Il suffit alors de suivre les instructions au dos du paquet.*

INGRÉDIENTS

Pour 800 ml/1 1/3 pintes/3 1/2 tasses environ

10 g/1/4 oz de *kombu* (algues séchées)
90 cl d'eau froide
10 à 15 g/1/4 à 1/2 oz de
   bonite séchée

VARIANTE

Pour confectionner un *dashi* végétarien, omettez simplement la bonite (thon séché) et suivez la même méthode.

1 Lissez les algues avec un torchon humide et, à l'aide de ciseaux, effectuez 2 entailles dans chacune afin de bien parfumer le bouillon.

2 Mettez les algues à tremper 30 à 60 min dans l'eau froide.

3 Faites chauffer les algues dans leur eau de trempage à feu moyen. Juste avant ébullition, retirez-les, puis ajoutez la bonite émiettée. Portez à ébullition à feu vif, avant d'ôter la casserole du feu.

4 Laissez reposer le bouillon jusqu'à ce que les parcelles de bonite retombent au fond de la casserole. Garnissez un tamis de papier absorbant ou d'une étamine et placez-le au-dessus d'une jatte. Passez délicatement le bouillon.

V

GARNITURES

Les soupes nécessitent parfois un zeste de sophistication et les garnitures les complètent avec raffinement. Ces touches finales apportent une note originale aux préparations les plus modestes. Une garniture peut être aussi simple qu'un semis de persil, une volute de crème fraîche ou une pincée de fromage râpé, mais peut aussi requérir une attention plus particulière, pour des croûtons maison à l'ail ou aux herbes, par exemple. Toutes les garnitures présentées dans ces pages conviennent aux régimes végétariens.

QUENELLES AUX HERBES

Ces quenelles sont faciles à réaliser et elles ajoutent une note moelleuse et savoureuse aux soupes campagnardes.

INGRÉDIENTS
75 g/3 oz/¹/₂ tasse de semoule ou de farine
1 œuf battu
45 ml/3 c. à soupe de lait ou d'eau
1 généreuse pincée de sel
15 ml/1 c. à soupe de persil frais haché

1 Mélangez tous les ingrédients de façon à obtenir une pâte souple et élastique. Couvrez de film plastique et laissez reposer 5 à 10 min.

2 Déposez de petites cuillerées à thé bombées de cette pâte dans la soupe et laissez cuire 10 min jusqu'à ce qu'elles deviennent fermes.

CROÛTONS DORÉS

Les croûtons confèrent une texture croquante aux veloutés et sont une excellente façon d'utiliser du pain rassis. La baguette donne les meilleurs résultats.

INGRÉDIENTS
pain
huile non aromatisée (de tournesol ou d'arachide, par exemple) ou, pour plus de goût, huile d'olive vierge extra ou huile aromatisée (à l'ail, aux fines herbes ou au piment, par exemple)

1 Préchauffez le four à 200 °C/400 °F. Coupez le pain en petits dés et disposez-les sur une plaque de four.

2 Badigeonnez les dés de pain d'huile, puis enfournez-les 15 min jusqu'à ce qu'ils soient bien dorés. Laissez-les légèrement tiédir : ils n'en seront que plus croustillants.

3 Vous pouvez conserver les croûtons 1 semaine dans un récipient hermétique. Réchauffez-les éventuellement au four avant de les servir.

PERLES À POTAGE

Ces perles de la taille d'un petit pois gonflent à la cuisson.

INGRÉDIENTS
1 œuf
75 à 115 g/3 à 4 oz/³/₄ à 1 tasse de farine
2,5 ml/¹/₂ c. à thé de sel
poivre noir fraîchement moulu

1 Battez l'œuf dans une jatte. Ajoutez la farine, le sel et le poivre, et mélangez avec une cuillère en bois. Terminez avec les doigts, en malaxant la pâte de façon à former des boulettes de la taille d'un petit pois.

2 Portez la soupe à ébullition. Incorporez les morceaux de pâte, en remuant doucement.

3 Baissez le feu et laissez mijoter 6 min environ, jusqu'à ce que les perles soient gonflées et bien cuites. Servez la soupe immédiatement.

VOLUTE DE CRÈME

La crème fraîche constitue l'une des garnitures les plus courantes. Elle est notamment employée dans les veloutés de tomates ou d'asperges. La volute de crème est une finition élégante.

INGRÉDIENT
  crème fleurette

1 Transférez la crème dans un récipient muni d'un bec verseur. Formez une volute à la surface de chaque assiettée.

2 Avec l'extrémité d'une fine brochette, effectuez un rapide mouvement de va-et-vient dans la crème pour créer un motif délicat. Servez la soupe immédiatement.

CROÛTONS AUX HERBES

Une autre manière d'utiliser du pain légèrement rassis consiste à confectionner de gros croûtons aux herbes, qui donneront un goût intense à vos potages. Choisissez les fines herbes en fonction des ingrédients de votre soupe.

INGRÉDIENTS
  3 tranches de pain de mie de la veille
  50 g/2 oz/4 c. à soupe de beurre
  45 ml/3 c. à soupe de persil, de coriandre ou de basilic frais, finement haché(e)

1 Détaillez le pain en bâtonnets de 2,5 cm/1 po de long.

2 Faites fondre le beurre dans une grande poêle et laissez doucement rissoler les bâtonnets de pain jusqu'à ce qu'ils dorent.

3 Ajoutez les fines herbes et mélangez bien. Prolongez la cuisson 1 min, sans cesser de remuer. Éparpillez les croûtons aux herbes sur la soupe et servez.

JULIENNE DE POIREAU FRIT

La julienne de poireau constitue une décoration originale et ajoute du croquant aux veloutés et aux autres potages onctueux.

INGRÉDIENTS
  1 gros poireau
  30 ml/2 c. à soupe de farine
  huile à friture

1 Coupez le poireau en deux dans la longueur. Émincez les moitiés en morceaux de 5 cm/2 po de long, puis en allumettes. Placez-les dans une jatte, saupoudrez-les de farine et mélangez bien le tout.

2 Chauffez l'huile à 160 °C/325 °F. Déposez de petites portions d'allumettes de poireau dans l'huile et faites-les dorer 30 à 45 s. Égouttez-les sur du papier absorbant. Répétez l'opération avec le reste de poireau.

3 Répartissez la soupe dans des assiettes et garnissez-les de julienne de poireau frit.

Soupes légères
et rafraîchissantes

VELOUTÉ D'ASPERGES GLACÉ

Cette délicate soupe vert pâle, garnie d'une volute de crème ou de yaourt, est aussi agréable à regarder que savoureuse à déguster.

INGRÉDIENTS

Pour 6 personnes

900 g/2 lb d'asperges vertes fraîches
60 ml/4 c. à soupe de beurre ou d'huile d'olive
175 g/6 oz/1½ tasses de poireaux ou d'oignons nouveaux émincés
45 ml/3 c. à soupe de farine
1,5 l/2½ pintes/6¼ tasses de bouillon de volaille ou d'eau
120 ml/4 oz/½ tasse de crème fleurette ou de yaourt nature
15 ml/1 c. à soupe d'estragon ou de cerfeuil frais haché
sel et poivre noir fraîchement moulu

1 Coupez les pointes d'asperges (6 cm/2½ po) et faites-les blanchir 5 à 6 min dans de l'eau bouillante, afin qu'elles soient tendres. Égouttez-les bien. Détaillez chaque pointe en 2 ou 3 morceaux et réservez-les.

2 Retirez les parties brunes ou filandreuses des tiges restantes et débitez celles-ci en tronçons d'1 cm/½ po.

3 Chauffez le beurre ou l'huile dans une cocotte et faites fondre les poireaux ou les oignons nouveaux 5 à 8 min à feu doux, sans les laisser brunir. Incorporez les tiges d'asperges débitées en tronçons, couvrez et prolongez la cuisson de 6 à 8 min, jusqu'à ce que les asperges soient tendres.

4 Ajoutez la farine et mélangez bien. Laissez cuire 3 à 4 min à découvert, en remuant de temps en temps.

5 Mouillez avec le bouillon ou l'eau. Portez à ébullition, en mélangeant souvent avec une cuillère en bois, puis baissez le feu et laissez mijoter 30 min. Assaisonnez.

6 Passez le mélange au mixer. Si nécessaire, tamisez-le pour éliminer les fibres. Incorporez les pointes d'asperges, presque toute la crème ou le yaourt et les herbes aromatiques. Placez au réfrigérateur. Remuez bien avant de servir et vérifiez l'assaisonnement. Garnissez le velouté d'une volute de crème ou de yaourt.

SOUPE FROIDE D'AVOCATS

*Cette soupe servie fraîche se
compose d'avocats, de jus de citron,
de xérès et, éventuellement,
d'un soupçon de sauce pimentée.*

INGRÉDIENTS

Pour 4 personnes

2 gros avocats mûrs ou 3 moyens
15 ml/1 c. à soupe de jus de citron
75 g/3 oz/³⁄₄ tasse de concombre
   pelé, grossièrement haché
30 ml/2 c. à soupe de xérès sec
25 g/1 oz/¹⁄₄ tasse d'oignons
   nouveaux grossièrement hachés,
   avec quelques tiges vertes
475 ml/16 oz/2 tasses de bouillon
   de volaille légèrement parfumé
5 ml/1 c. à thé de sel
sauce pimentée (facultatif)
crème fraîche ou yaourt nature,
   pour la garniture

1 Partagez les avocats en deux,
retirez leur noyau et pelez-les. Hachez
grossièrement la chair et passez-la
au mixer avec le jus de citron.

2 Ajoutez le concombre, le xérès et
presque tous les oignons nouveaux,
en en réservant un peu pour la garniture. Mixez à nouveau.

3 Dans une jatte, mélangez la purée
d'avocats et le bouillon de volaille
en fouettant bien. Assaisonnez de
sel et, éventuellement, de quelques
gouttes de sauce pimentée. Couvrez
la jatte et mettez-la au réfrigérateur.

4 Au moment de servir, répartissez
la soupe dans des assiettes. Déposez 1 cuillerée de crème fraîche ou
de yaourt au centre et formez une
volute avec une cuillère. Garnissez
la soupe avec les oignons réservés.

VICHYSSOISE GLACÉE

*Cette soupe parfumée
s'accommodera parfaitement
d'une cuillerée de crème fraîche
et d'un peu de ciboulette ciselée
ou, pour les grandes occasions,
d'une petite cuillerée de caviar.*

INGRÉDIENTS

Pour 6 à 8 personnes

3 grosses pommes de terre (environ
    450 g/1 lb) pelées et détaillées
    en dés
1,5 l/2½ pintes/6¼ tasses de
    bouillon de volaille
350 g/12 oz de poireaux
150 ml/¼ pinte/⅔ tasse de
    crème fraîche
sel et poivre noir fraîchement moulu
45 ml/3 c. à soupe de ciboulette
    fraîche ciselée, pour la garniture

1 Mettez les dés de pommes de terre et le bouillon dans une cocotte et portez à ébullition. Baissez le feu et laissez mijoter 15 à 20 min.

2 Fendez chaque poireau dans la longueur et rincez-les bien pour éliminer la terre. Émincez-les finement.

3 Quand les pommes de terre sont tout juste tendres, incorporez les poireaux. Goûtez et assaisonnez, puis laissez mijoter 10 à 15 min, en remuant de temps en temps, jusqu'à ce que les légumes soient cuits. Si la soupe est trop épaisse, allongez-la avec un peu de bouillon ou d'eau.

4 Mixez la soupe. Si vous la préférez très lisse, passez-la au moulin à légumes ou dans un tamis épais. Incorporez presque toute la crème fraîche, laissez refroidir et mettez au réfrigérateur. Servez la vichyssoise dans des assiettes glacées en garnissant d'1 cuillerée de crème fraîche et de ciboulette.

VARIANTE

Pour une soupe plus légère, remplacez la crème fraîche par du fromage blanc allégé.

GASPACHO

Cette soupe espagnole traditionnelle est parfaite pour un déjeuner d'été.

INGRÉDIENTS

Pour 6 personnes

450 g/1 lb de tomates roma grossièrement hachées

1 poivron rouge épépiné et grossièrement haché

1 poivron vert épépiné et grossièrement haché

1/2 concombre grossièrement haché

1 oignon grossièrement haché

1 piment rouge frais épépiné et grossièrement haché

900 ml/1 1/2 pintes/3 3/4 tasses de jus de tomates

30 ml/2 c. à soupe à soupe de vinaigre de vin rouge

30 ml/2 c. à soupe à soupe d'huile d'olive

15 ml/1 c. à soupe à soupe de sucre en poudre

sel et poivre noir fraîchement moulu

glace pilée, pour la garniture (facultatif)

1 Coupez un petit morceau de poivron rouge, de poivron vert, de concombre et d'oignon. Hachez-les finement et réservez-les pour la garniture.

2 Mixez le reste des ingrédients (sauf la glace), jusqu'à obtention d'une purée lisse. Procédez éventuellement en plusieurs fois.

3 Passez la soupe au tamis dans une jatte en verre, en écrasant les morceaux restants à la cuillère pour recueillir un maximum de parfum.

4 Rectifiez l'assaisonnement et placez au réfrigérateur. Servez le gaspacho garni des légumes réservés. Pour une touche sophistiquée, ajoutez un peu de glace pilée au moment de servir.

VELOUTÉ FROID DE TOMATES

La réussite de ce velouté dépend de la qualité des tomates, qui doivent être mûres et très parfumées.

INGRÉDIENTS

Pour 4 personnes

1 kg/2¼ lb de tomates bien mûres, coupées en quartiers
15 ml/1 c. à soupe d'huile d'olive
1 gros oignon haché
1 carotte hachée
2 gousses d'ail hachées
5 brins de thym frais
   ou 1,5 ml/¼ c. à thé
   de thym séché
4 à 5 brins d'origan frais
   ou 1,5 ml/¼ c. à thé
   d'origan séché
1 feuille de laurier
45 ml/3 c. à soupe de crème fraîche
   ou de yaourt nature, plus un peu
   pour la garniture
sel et poivre noir fraîchement moulu

1 Chauffez l'huile dans une grande casserole, en inox de préférence, ou dans une cocotte.

2 Faites revenir l'oignon et la carotte 3 à 4 min à feu moyen, en remuant de temps en temps, jusqu'à ce qu'ils soient tendres.

3 Ajoutez les tomates, l'ail et les herbes aromatiques. Baissez le feu et laissez mijoter 30 min à couvert.

4 Ôtez la feuille de laurier et passez la soupe au tamis. Incorporez la crème fraîche ou le yaourt et assaisonnez. Laissez refroidir la soupe avant de la placer au réfrigérateur.

VARIANTE
Vous pouvez remplacer
le thym par du persil.

SOUPE DE CRESSON À L'ORANGE

INGRÉDIENTS

Pour 4 personnes
2 bottes de cresson
le zeste râpé et le jus
    d'1 grosse orange
1 gros oignon haché
15 ml/1 c. à soupe d'huile d'olive
600 ml/1 pinte/2½ tasses de
    bouillon de légumes
10 ml/2 c. à thé de Maïzena
150 ml/¼ pinte/⅔ tasse
    de crème fleurette
sel et poivre noir fraîchement moulu
un peu de crème fraîche épaisse ou
    de yaourt nature, pour la garniture
4 quartiers d'orange,
    pour l'accompagnement

1 Dans une grande casserole, faites fondre l'oignon dans l'huile, puis ajoutez le cresson tel quel. Couvrez et laissez cuire environ 5 min, jusqu'à ce que le cresson soit ramolli.

2 Ajoutez le zeste râpé et le jus de l'orange, puis le bouillon de légumes. Portez à ébullition, couvrez et laissez mijoter 10 à 15 min.

3 Passez la soupe au mixer, puis au tamis si vous souhaitez qu'elle soit très lisse. Délayez la Maïzena dans la crème fraîche jusqu'à ce qu'il n'y ait plus de grumeaux, puis ajoutez le mélange à la soupe. Assaisonnez.

4 Portez de nouveau à ébullition, à petit feu, en remuant jusqu'à épaississement. Vérifiez l'assaisonnement.

5 Servez la soupe de cresson dans des assiettes creuses avec une volute de crème fraîche ou de yaourt. Pressez 1 quartier d'orange au-dessus de chaque assiette au dernier moment.

6 Si vous servez cette soupe froide, laissez-la refroidir avant de la placer au réfrigérateur. Pour la garniture, suivez les indications de l'étape précédente.

SOUPE GLACÉE AUX AMANDES

À moins que vous ne teniez à broyer tous les ingrédients à la main, un mixer se révèle ici indispensable. Vous trouverez alors cette soupe très facile à confectionner et délicieusement rafraîchissante en été.

INGRÉDIENTS

Pour 6 personnes

115 g/4 oz/1 tasse
   d'amandes émondées
115 g/4 oz de pain de mie frais
750 ml/1¼ pintes/3 tasses
   d'eau froide
2 gousses d'ail émincées
75 ml/5 c. à soupe d'huile d'olive
25 ml/1½ c. à soupe de vinaigre
   de xérès
sel et poivre noir fraîchement moulu

Pour la garniture

amandes effilées grillées
grains de raisin noir ou blanc sans
   pépins, coupés en deux et pelés

1 Coupez le pain en petits morceaux dans une jatte et recouvrez-les de 150 ml/¼ pinte/⅔ tasse d'eau. Laissez reposer 5 min.

2 Passez les amandes et l'ail au mixer jusqu'à ce qu'ils soient finement broyés. Incorporez le pain trempé et mixez.

3 Ajoutez progressivement l'huile, jusqu'à obtention d'une pâte lisse. Versez le vinaigre puis l'eau restante, et mixez bien.

4 Transférez le mélange dans une jatte et assaisonnez-le. Rajoutez un peu d'eau si la soupe vous paraît trop épaisse. Laissez refroidir au moins 2 à 3 h au réfrigérateur. Servez la soupe garnie d'amandes grillées et de grains de raisin.

SOUPE DE CONCOMBRE AUX NOIX

V

Cette soupe froide, à base d'une combinaison classique de concombre et de yaourt, est particulièrement rafraîchissante.

INGRÉDIENTS

Pour 5 à 6 personnes

1 concombre
4 gousses d'ail
2,5 ml/1/2 c. à thé de sel
75 g/3 oz/3/4 tasse de noix concassées
40 g/11/2 oz de pain de la veille coupé en morceaux
30 ml/2 c. à soupe d'huile de noix ou de tournesol
400 ml/14 oz/12/3 tasses de yaourt nature
120 ml/4 oz/1/2 tasse d'eau très froide
5 à 10 ml/1 à 2 c. à thé de jus de citron

Pour la garniture

40 g/11/2 oz/3/8 tasse de noix grossièrement hachées
25 ml/11/2 c. à soupe d'huile d'olive
quelques brins d'aneth frais

1 Coupez le concombre en deux et pelez-en une moitié. Détaillez toute la chair en dés et réservez.

2 Avec un gros mortier et un pilon, broyez finement l'ail et le sel, puis ajoutez les noix et le pain.

3 Quand la préparation est homogène, incorporez délicatement l'huile et mélangez bien.

CONSEIL
Si vous préférez une soupe lisse, passez-la au mixer avant de servir.

4 Transférez le mélange dans une jatte et ajoutez le yaourt et les dés de concombre en battant bien. Mouillez avec l'eau froide et le jus de citron.

5 Répartissez la soupe dans des assiettes refroidies. Garnissez-les de noix hachées et d'un filet d'huile d'olive. Parsemez-les de brins d'aneth et servez immédiatement.

V

POTAGE DE PETITS POIS À LA MENTHE

INGRÉDIENTS

Pour 4 personnes

450 g/1 lb de petits pois frais
    ou surgelés
2 gros brins de menthe fraîche
50 g/2 oz/4 c. à soupe de beurre
4 oignons nouveaux hachés
600 ml/1 pinte/2½ tasses de
    bouillon de légumes
600 ml/1 pinte/2½ tasses de lait
1 pincée de sucre (facultatif)
sel et poivre noir fraîchement moulu
quelques feuilles de menthe
    fraîche et crème fleurette,
    pour la garniture

1 Chauffez le beurre dans une grande casserole et faites fondre les oignons nouveaux à feu doux, sans les laisser brunir.

2 Incorporez les petits pois, ajoutez le bouillon et la menthe, puis portez à ébullition. Couvrez et laissez mijoter environ 30 min pour des petits pois frais (ou 15 min pour des petits pois surgelés), jusqu'à ce qu'ils soient tendres. Réservez environ 45 ml/3 c. à soupe de petits pois pour la garniture.

3 Passez les légumes avec le lait au mixer. Assaisonnez à votre goût, en ajoutant éventuellement 1 pincée de sucre. Laissez refroidir avant de mettre au réfrigérateur.

4 Répartissez la soupe dans des assiettes. Garnissez chacune d'elles d'1 cuillerée de crème, de feuilles de menthe et des petits pois réservés.

SOUPE DE BETTERAVES AUX ABRICOTS

L'aspect marbré de cette soupe est particulièrement attrayant mais, si vous voulez gagner du temps, les deux préparations peuvent aussi se mélanger.

INGRÉDIENTS

Pour 4 personnes

4 belles betteraves grossièrement hachées
200 g/7 oz/1 tasse d'abricots secs
1 petit oignon grossièrement haché
600 ml/1 pinte/2½ tasses de bouillon de volaille
250 ml/8 oz/1 tasse de jus d'orange
sel et poivre noir fraîchement moulu

2 Placez le reste de l'oignon dans une autre casserole avec les abricots et le jus d'orange, couvrez et laissez mijoter 15 min environ à feu doux, afin que les fruits soient tendres. Passez le mélange au mixer.

3 Réchauffez les 2 mélanges dans leurs casseroles respectives. Assaisonnez, puis incorporez un mélange dans l'autre, dans chaque assiette, pour créer un effet marbré.

1 Mettez les betteraves et la moitié de l'oignon haché dans une casserole avec le bouillon. Portez à ébullition, puis baissez le feu, couvrez et laissez mijoter 10 min environ. Passez le mélange au mixer.

CONSEIL

La purée d'abricots doit être de la même consistance que la soupe de betteraves : si elle est trop épaisse, ajoutez un peu de jus d'orange.

POTAGE AUX POIVRONS GRILLÉS

Le fait de griller les poivrons intensifie leur saveur et confère à ce délicieux potage sa couleur éclatante.

INGRÉDIENTS

Pour 4 personnes

3 poivrons rouges
1 poivron jaune
1 oignon moyen haché
1 gousse d'ail écrasée
750 ml/1¼ pintes/3 tasses de bouillon de légumes
15 ml/1 c. à soupe de farine
sel et poivre noir fraîchement moulu
quelques dés de poivrons rouge et jaune, pour la garniture

3 Laissez refroidir les poivrons dans un sac en plastique, puis pelez-les avant de les hacher grossièrement.

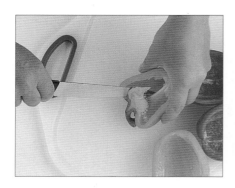

1 Préchauffez le gril. Partagez les poivrons en deux, retirez les tiges, les cœurs et les membranes, et grattez les graines.

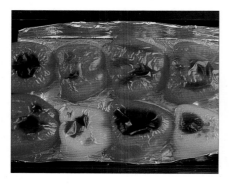

2 Garnissez une plaque de four de papier d'aluminium et disposez les moitiés de poivrons, côté peau en haut, en une seule couche sur le papier. Faites-les griller jusqu'à ce que les peaux cloquent et noircissent.

4 Dans une grande casserole, réunissez l'oignon, l'ail et 150 ml/¼ pinte/⅔ tasse de bouillon. Faites bouillir 5 min environ, jusqu'à ce que le bouillon ait réduit. Baissez le feu et remuez jusqu'à ce que l'oignon fonde et commence à blondir.

5 Saupoudrez le mélange de farine, puis mouillez peu à peu avec le reste de bouillon.

6 Ajoutez les poivrons grillés hachés et portez à ébullition. Couvrez et laissez mijoter encore 5 min.

7 Laissez légèrement refroidir, puis passez le mélange au mixer et assaisonnez. Remettez le potage dans la casserole et réchauffez-le bien.

8 Répartissez le potage dans des assiettes, et garnissez de quelques dés de poivrons rouge et jaune.

VARIANTE
À la place des dés de poivrons, vous pouvez garnir la soupe d'une volute de yaourt nature.

BOUILLON DE POULET AUX PÂTES

Simple et rapide à préparer, à condition de disposer d'un bon bouillon, cette soupe claire et légère ravira les yeux autant que le palais.

INGRÉDIENTS

Pour 4 à 6 personnes

115 g/4 oz de blanc de poulet cuit
50 g/2 oz de petites pâtes à potage (étoiles, par exemple)
900 ml/1½ pintes/3¾ tasses de bouillon de volaille
1 feuille de laurier
4 oignons nouveaux émincés
225 g/8 oz de champignons de Paris émincés
150 ml/¼ pinte/⅔ tasse de vin blanc sec
15 ml/1 c. à soupe de persil haché
sel et poivre noir fraîchement moulu

1 Portez le bouillon de volaille et le laurier à ébullition dans une grande casserole. Ajoutez les oignons nouveaux et les champignons émincés.

2 Ôtez la peau du poulet. Émincez finement celui-ci, mettez-le dans le bouillon et assaisonnez. Faites chauffer le tout 2 à 3 min.

3 Incorporez les pâtes, couvrez et laissez mijoter 7 à 8 min, jusqu'à ce qu'elles soient *al dente*.

4 Juste avant de servir, ajoutez le vin et le persil haché, et réchauffez 2 à 3 min. Répartissez le bouillon dans des assiettes ou dans des bols.

SOUPE DE COURGETTES AUX PÂTES

Fraîche et attrayante, cette soupe est toujours très appréciée l'été.

INGRÉDIENTS

Pour 4 à 6 personnes

900 g/2 lb de courgettes
115 g/4 oz de petites pâtes à potage
60 ml/4 c. à soupe d'huile d'olive
   ou de tournesol
2 oignons finement hachés
1,5 l/2½ pintes/6¼ tasses de
   bouillon de volaille
un peu de jus de citron
30 ml/2 c. à soupe de cerfeuil
   frais haché
sel et poivre noir fraîchement moulu
crème fraîche, pour la garniture

1 Chauffez l'huile dans une grande casserole et ajoutez les oignons. Couvrez et laissez cuire 20 min, en remuant de temps en temps. Les oignons doivent être tendres.

2 Mouillez avec le bouillon de volaille et portez à ébullition.

3 Râpez les courgettes et incorporez-les au bouillon avec les pâtes. Baissez le feu, couvrez et laissez mijoter 7 à 8 min, jusqu'à ce que les pâtes soient cuites.

4 Assaisonnez de jus de citron, de sel et de poivre, et incorporez le cerfeuil. Répartissez la soupe dans des assiettes, ajoutez une volute de crème fraîche et servez aussitôt.

VARIANTE
On peut remplacer les courgettes par du concombre.

SOUPE MEXICAINE AU POULET ET À L'AVOCAT

*Le poulet, le piment et l'avocat
s'unissent délicieusement
pour donner cette souple simple
mais insolite.*

INGRÉDIENTS

Pour 6 personnes

2 blancs de poulet cuits, sans
 la peau et coupés en
 longues lanières
1 avocat
1,5 l/2½ pintes/6¼ tasses de
 bouillon de volaille
1 piment *chipotle* ou *jalapeño*
 en conserve, rincé

CONSEIL

Si vous utilisez des piments
en conserve, il est important de
bien les rincer avant de les
incorporer à la préparation, afin
d'ôter toute trace de saumure.

1 Chauffez le bouillon dans une
grande casserole, ajoutez les lanières
de poulet et le piment. Laissez mijoter 5 min à feu très doux, afin de
réchauffer le poulet et de libérer le
goût du piment.

2 Partagez l'avocat en deux, retirez
le noyau et pelez chaque moitié.
Émincez-les finement dans le sens
de la longueur.

3 À l'aide d'une écumoire, retirez
le piment du bouillon et jetez-le.
Versez la soupe dans des assiettes,
en répartissant le poulet.

4 Ajoutez délicatement quelques
tranches d'avocat dans chaque
assiette et servez la soupe aussitôt.

SOUPE AUX CACAHUÈTES ET AUX LÉGUMES

INGRÉDIENTS

Pour 4 personnes en entrée
ou 8 personnes en buffet

- 25 g/1 oz/¼ tasse de cacahuètes non salées
- 50 à 75 g/2 à 3 oz/½ à ¾ tasse de cacahuètes salées et légèrement concassées
- 5 échalotes ou 1 oignon rouge moyen émincé(es)
- 3 gousses d'ail écrasées
- 2,5 cm/1 po de *lengkuas* pelé et émincé
- 1 ou 2 piment(s) rouge(s) frais épépiné(s) et émincé(s)
- 1 cube de *terasi* (pâte de crevettes) d'1 cm/½ po
- 1,2 l/2 pintes/5 tasses de bouillon de légumes
- 15 à 30 ml/1 à 2 c. à soupe de sucre roux
- 5 ml/1 c. à thé de pulpe de tamarin trempée 15 min dans 75 ml/5 c. à soupe d'eau chaude

Pour les légumes

- 1 chayote pelée, épépinée et finement émincée
- 115 g/4 oz de haricots verts équeutés et finement émincés
- 50 g/2 oz de maïs doux en grains (facultatif)
- 1 poignée de légumes verts à feuilles (cresson, roquette ou chou chinois) finement ciselés
- 1 piment vert frais émincé, pour la garniture

2 Mouillez avec un peu de bouillon et versez le mélange dans une poêle ou un wok. Ajoutez le reste de bouillon, les cacahuètes salées concassées et le sucre. Faites cuire 15 min.

1 Passez les échalotes ou l'oignon, l'ail, le *lengkuas,* le(s) piment(s), les cacahuètes non salées et le *terasi* au mixer ou broyez-les dans un mortier avec un pilon, jusqu'à obtenir une pâte homogène.

3 Passez la pulpe de tamarin au tamis pour en éliminer les graines et réservez le jus.

4 Environ 5 min avant de servir, ajoutez les tranches de chayote, les haricots verts et, éventuellement, le maïs, et faites cuire rapidement. Au dernier moment, incorporez les légumes verts émincés et le sel.

5 Ajoutez le jus de tamarin et vérifiez l'assaisonnement. Servez la soupe immédiatement, garnie de piment vert.

V

SOUPE D'ÉPINARDS ET DE TOFU

Cette soupe délicate au parfum très subtil pourra compenser le piquant d'un curry thaïlandais épicé.

INGRÉDIENTS

Pour 4 à 6 personnes

30 ml/2 c. à soupe d'épinards frais
225 g/8.oz de tofu frais égoutté
   et détaillé en dés de 2 cm/³/₄ po
30 ml/2 c. à soupe
   de crevettes séchées
1 l/1³/₄ pintes/4 tasses de bouillon
   de volaille
30 ml/2 c. à soupe de sauce
   de poisson
poivre noir fraîchement moulu
2 oignons nouveaux finement
   émincés, pour la garniture

1 Rincez et égouttez les crevettes séchées. Dans une grande casserole, mélangez-les au bouillon de volaille et portez à ébullition. Ajoutez le tofu et laissez mijoter environ 5 min. Assaisonnez de sauce de poisson et de poivre.

2 Lavez soigneusement les feuilles d'épinards et déchirez-les en morceaux. Incorporez-les à la soupe et prolongez la cuisson d'1 ou 2 min.

3 Répartissez la soupe dans des assiettes ou des bols chauds, parsemez de lamelles d'oignons nouveaux et servez.

SOUPE CHINOISE AU TOFU ET À LA ROMAINE

INGRÉDIENTS

Pour 4 personnes

200 g/7 oz de tofu fumé ou mariné
 détaillé en dés

115 g/4 oz de romaine coupée
 en lanières

30 ml/2 c. à soupe d'huile
 d'arachide ou de tournesol

3 oignons nouveaux émincés

2 gousses d'ail détaillées en julienne

1 carotte finement émincée

1 l/1¾ pintes/4 tasses de bouillon
 de légumes

30 ml/2 c. à soupe de sauce de soja

15 ml/1 c. à soupe de xérès sec
 ou de vermouth

5 ml/1 c. à thé de sucre

sel et poivre noir fraîchement moulu

1 Chauffez l'huile dans un wok préchauffé, puis faites dorer les dés de tofu. Égouttez-les sur du papier absorbant et réservez.

2 Faites revenir les oignons nouveaux, l'ail et la carotte dans le wok 2 min en remuant. Ajoutez le bouillon, la sauce de soja, le xérès ou le vermouth, le sucre, la romaine et le tofu frit. Chauffez la soupe 1 min environ, assaisonnez et servez.

SOUPE CHINOISE AU POULET ET AUX ASPERGES

Cette soupe est très délicatement parfumée. Si vous ne trouvez pas d'asperges fraîches, remplacez-les par des asperges en conserve.

INGRÉDIENTS

Pour 4 personnes
140 g/5 oz de blanc de poulet
115 g/4 oz d'asperges vertes
1 pincée de sel
5 ml/1 c. à thé de blanc d'œuf
5 ml/1 c. à thé de Maïzena délayée
700 ml/1¼ pintes/3 tasses de
    bouillon de volaille
sel et poivre noir fraîchement moulu
feuilles de coriandre fraîche,
    pour la garniture

1 Émincez le poulet en très fines tranches, de la taille d'un timbre. Incorporez 1 pincée de sel, puis le blanc d'œuf et la Maïzena.

2 Retirez les parties dures des asperges et détaillez les pointes en tronçons obliques et réguliers.

3 Dans un wok ou une casserole, portez le bouillon de volaille à ébullition, ajoutez les asperges et faites bouillir encore 2 min (cette étape est inutile si vous utilisez des asperges en conserve).

4 Incorporez les morceaux de poulet, remuez bien pour les séparer et portez de nouveau à ébullition. Rectifiez l'assaisonnement. Servez la soupe bien chaude, garnie de feuilles de coriandre fraîche.

SOUPE DE CREVETTES À LA CITRONNELLE

INGRÉDIENTS

Pour 4 à 6 personnes

- 450 g/1 lb de grosses crevettes
- 3 tiges de citronnelle
- 1 l/1¾ pintes/4 tasses de bouillon de volaille ou d'eau
- 10 feuilles de citronnier coupées en deux
- 225 g/8 oz de champignons de paille en conserve, égouttés
- 45 ml/3 c. à soupe de sauce de poisson
- 50 ml/2 oz/¼ tasse de jus de citron vert
- 30 ml/2 c. à soupe d'oignons nouveaux hachés
- 15 ml/1 c. à soupe de feuilles de coriandre fraîche
- 4 piments rouges frais épépinés et hachés
- 2 oignons nouveaux finement émincés, pour la garniture

3 Filtrez le bouillon et remettez-le dans la casserole pour le réchauffer. Ajoutez les champignons et les crevettes, puis faites cuire jusqu'à ce que celles-ci deviennent roses.

4 Incorporez la sauce de poisson, le jus de citron vert, les oignons nouveaux, la coriandre, les piments et le reste de feuilles de citronnier. Goûtez et rectifiez l'assaisonnement. La soupe doit être aigre, salée, épicée et bien chaude. Garnissez-la d'oignons nouveaux finement émincés avant de servir.

1 Décortiquez les crevettes et retirez la veine centrale. Rincez les carapaces des crevettes et mettez-les dans une grande casserole avec le bouillon ou l'eau. Portez à ébullition.

2 Écrasez légèrement les tiges de citronnelle avec le côté non tranchant d'un couteau et ajoutez-les au bouillon, avec la moitié des feuilles de citronnier. Laissez mijoter 5 à 6 min à petit feu, jusqu'à ce que les tiges changent de couleur et qu'un agréable parfum se dégage.

CONSOMMÉ DE CANARD

La communauté vietnamienne de France a profondément influencé la cuisine française, comme en témoigne cette soupe à la fois légère et riche, exhalant des arômes de l'Asie du Sud-Est.

INGRÉDIENTS

Pour 4 personnes

1 carcasse de canard (cuite ou non), plus 2 cuisses ou les abats dégraissé(e)s
1 gros oignon non pelé, côté racine coupé
2 carottes détaillées en tronçons de 5 cm/2 po
1 panais coupé en tronçons de 5 cm/2 po
1 poireau coupé en tronçons de 5 cm/2 po
2 à 4 gousses d'ail écrasées
1 morceau de gingembre frais de 2,5 cm/1 po, pelé et émincé
15 ml/1 c. à soupe de grains de poivre noir
4 à 6 brins de thym frais ou 5 ml/1 c. à thé de thym séché
1 petit bouquet de coriandre (6 à 8 brins), feuilles et tiges séparées

Pour la garniture

1 petite carotte détaillée en julienne
1 petit poireau détaillé en julienne dans le sens de la longueur
4 à 6 champignons *shiitake* finement émincés
sauce de soja
2 oignons nouveaux finement émincés
cresson ou chou chinois finement émincé
poivre noir fraîchement moulu

1 Mettez la carcasse de canard et les cuisses, ou les abats, l'oignon, les carottes, le panais, le poireau et l'ail dans une grande cocotte. Ajoutez le gingembre, les grains de poivre, le thym et les tiges de coriandre. Couvrez d'eau froide et portez à ébullition à feu moyen, en écumant la surface.

2 Baissez le feu et laissez mijoter 1 h 30 à 2 h. Passez dans un tamis garni d'une étamine afin d'éliminer les os et les légumes. Laissez le bouillon refroidir, puis placez-le au réfrigérateur plusieurs heures ou toute la nuit. Retirez la graisse superficielle et éliminez les résidus de gras avec du papier absorbant.

3 Pour la garniture, coupez la carotte et le poireau en tronçons de 5 cm/2 po. Détaillez chaque tronçon en fines tranches, puis empilez-les et coupez-les en julienne. Mettez-les dans une grande casserole avec les champignons émincés.

4 Mouillez avec le bouillon et ajoutez un filet de sauce de soja et un peu de poivre. Portez à ébullition à feu moyen, en écumant régulièrement la surface. Vérifiez l'assaisonnement. Incorporez les oignons nouveaux et le cresson (ou le chou chinois). Répartissez le consommé dans des assiettes chaudes, puis garnissez de feuilles de coriandre.

SOUPE DE PORC AUX FEUILLES DE MOUTARDE

INGRÉDIENTS

Pour 4 à 6 personnes

450 g/1 lb de côtes de porc
   détaillées en gros morceaux
225 g/8 oz de feuilles de moutarde en
   saumure, trempées dans de l'eau
50 g/2 oz de pâtes de riz, trempées
   dans de l'eau
15 ml/1 c. à soupe d'huile végétale
4 gousses d'ail finement émincées
1 l/1¾ pintes/4 tasses de bouillon
   de volaille
30 ml/2 c. à soupe de sauce
   de poisson
1 pincée de sucre
poivre noir fraîchement moulu
2 piments frais épépinés et finement
   émincés, pour la garniture

1 Coupez les feuilles de moutarde en petits morceaux. Goûtez-les : si elles sont trop salées, laissez-les tremper un peu plus longtemps.

2 Égouttez les pâtes et jetez l'eau de trempage. Débitez-les en segments d'environ 5 cm/2 po de long.

3 Chauffez l'huile dans une petite poêle et faites dorer l'ail. Transférez-le dans un bol et réservez.

4 Dans une casserole, portez le bouillon de volaille à ébullition, puis ajoutez les côtes de porc et laissez mijoter 10 à 15 min à feu doux.

5 Incorporez les feuilles de moutarde et les pâtes. Portez de nouveau à ébullition, puis assaisonnez de sauce de poisson, de sucre et de poivre noir.

6 Répartissez la soupe dans des assiettes, et garnissez-les d'ail frit et de piments émincés. Servez la soupe bien chaude.

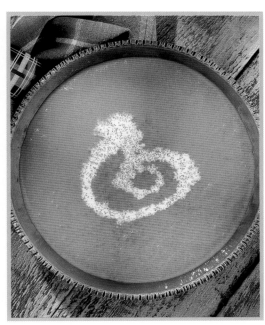

SOUPES RICHES
ET ONCTUEUSES

V

SOUPE DE BROCOLIS AUX AMANDES

*La saveur crémeuse des amandes
grillées se marie parfaitement
à la légère amertume des brocolis.*

INGRÉDIENTS
Pour 4 à 6 personnes
675 g/1½ lb de brocolis
50 g/2 oz/½ tasse d'amandes
  en poudre
900 ml/1½ pintes/3¾ tasses de
  bouillon de légumes ou d'eau
300 ml/½ pinte/1¼ tasses
  de lait écrémé
sel et poivre noir fraîchement moulu

1 Préchauffez le four à 180 °C/350 °F.
Étalez uniformément les amandes
en poudre sur une plaque de four
et enfournez-les 10 min jusqu'à
ce qu'elles soient dorées. Réservez
¼ de la poudre d'amandes grillée
pour la garniture.

2 Détaillez les brocolis en petits
bouquets et faites-les cuire 6 à
7 min à la vapeur, jusqu'à ce qu'ils
soient tendres.

3 Passez le reste des amandes en
poudre, les brocolis, le bouillon (ou
l'eau) et le lait au mixer, jusqu'à
obtenir une purée lisse. Assaisonnez.

4 Réchauffez la soupe et servez-la
agrémentée de la poudre d'amandes
grillées réservée.

SOUPE DE BROCOLIS AU BLEU

Cette soupe — extrêmement facile à préparer et très riche — devra être suivie d'un plat simple, telle une viande ou une volaille rôtie.

INGRÉDIENTS

Pour 4 personnes

350 g/12 oz de brocolis
115 g/4 oz de bleu émietté
  (sans la croûte)
25 g/1 oz/2 c. à soupe de beurre
1 oignon haché
1 blanc de poireau haché
1 petite pomme de terre coupée
  en morceaux
600 ml/1 pinte/2½ tasses de
  bouillon de volaille chaud
300 ml/½ pinte/1¼ tasses de lait
45 ml/3 c. à soupe de crème
  fraîche épaisse
sel et poivre noir fraîchement moulu

1 Séparez les brocolis en bouquets, en éliminant les tiges dures. Réservez 2 petits bouquets pour la garniture.

2 Chauffez le beurre dans une grande casserole et faites fondre l'oignon et le poireau, sans les laisser brunir. Ajoutez les brocolis et la pomme de terre, puis mouillez avec le bouillon chaud. Couvrez et laissez mijoter 15 à 20 min, jusqu'à ce que les légumes soient tendres.

3 Laissez légèrement refroidir, puis passez le mélange au mixer jusqu'à ce qu'il soit lisse. Filtrez la soupe au tamis dans la casserole.

4 Incorporez le lait et la crème fraîche. Assaisonnez et réchauffez à feu doux. Au dernier moment, ajoutez le bleu, en remuant jusqu'à ce qu'il fonde (sans faire bouillir).

5 Dans le même temps, faites blanchir les brocolis réservés et émincez-les en tranches verticales. Répartissez la soupe dans des assiettes chaudes et garnissez-les de brocolis émincés et d'1 géné-reuse pincée de poivre moulu.

VELOUTÉ DE TOMATES AU BLEU

Le goût intense des tomates grillées s'accorde parfaitement avec la forte saveur du bleu.

INGRÉDIENTS

Pour 4 personnes

1,5 kg/3 lb de tomates mûres pelées, coupées en quartiers et épépinées
115 g/4 oz de bleu émietté
2 gousses d'ail finement hachées
30 ml/2 c. à soupe d'huile végétale ou de beurre
1 poireau haché
1 carotte hachée
1,2 l/2 pintes/5 tasses de bouillon de volaille
45 ml/3 c. à soupe de crème fleurette
quelques grandes feuilles de basilic frais ou 1 à 2 brin(s) de persil frais, plus 1 brin pour la garniture
sel et poivre noir fraîchement moulu
175 g/6 oz de bacon frit et émietté, pour la garniture

1 Préchauffez le four à 200 °C/ 400 °F. Disposez les tomates dans un plat à four peu profond et sau- poudrez-les d'ail. Salez et poivrez. Enfournez pour 35 min.

2 Chauffez l'huile ou le beurre dans une grande casserole. Ajoutez le poireau et la carotte hachés, et assaisonnez légèrement. Faites cuire environ 10 min à feu doux, en remuant souvent, jusqu'à ce que les légumes soient tendres.

3 Incorporez le bouillon et les tomates cuites. Portez à ébullition, puis baissez le feu, couvrez et lais- sez mijoter 20 min environ.

4 Ajoutez le bleu, la crème fleurette et le basilic ou le persil. Passez le mélange au mixer, en plusieurs fois si nécessaire. Goûtez et rectifiez l'assaisonnement.

5 Réchauffez le velouté sans le faire bouillir. Servez-le garni de bacon frit émietté et de brins de persil ou de feuilles de basilic.

CRÈME DE CHOU-FLEUR AUX NOIX

L'aspect onctueux de cette préparation est dû à la texture moelleuse du chou-fleur.

INGRÉDIENTS

Pour 4 personnes

1 petit chou-fleur
45 ml/3 c. à soupe de noix concassées
1 oignon moyen grossièrement haché
450 ml/¾ pinte/1⅞ tasses de bouillon de volaille ou de légumes
450 ml/¾ pinte/1⅞ tasses de lait écrémé
sel et poivre noir fraîchement moulu
paprika et noix hachées, pour la garniture

1 Retirez les feuilles du chou-fleur et détaillez-le en petits bouquets. Mettez-les dans une grande casserole avec l'oignon et le bouillon.

2 Portez à ébullition, couvrez et laissez mijoter 15 min environ, jusqu'à ce que le chou-fleur soit tendre. Ajoutez le lait et les noix, puis passez le mélange au mixer.

3 Assaisonnez la soupe et réchauffez-la en la portant à ébullition. Servez-la saupoudrée de paprika et de noix hachées.

VARIANTE
On peut aussi confectionner cette soupe en remplaçant le chou-fleur par des brocolis.

SOUPE DE CAROTTES À LA CORIANDRE

*Utilisez un bon bouillon fait
maison pour cette soupe.*

INGRÉDIENTS

Pour 4 personnes
450 g/1 lb de carottes émincées
15 ml/1 c. à soupe de coriandre moulue
50 g/2 oz/4 c. à soupe de beurre
3 poireaux émincés
1,2 l/2 pintes/5 tasses de bouillon
   de volaille
150 ml/¼ pinte/⅔ tasse de yaourt
   à la grecque
sel et poivre noir fraîchement moulu
30 à 45 ml/2 à 3 c. à soupe de
   coriandre fraîche hachée, pour
   la garniture

3 Laissez légèrement refroidir, puis passez la soupe au mixer. Remettez-la dans la casserole et ajoutez 30 ml/2 c. à soupe de yaourt à la grecque. Goûtez et rectifiez l'assaisonnement. Réchauffez doucement sans faire bouillir.

4 Répartissez la soupe dans des assiettes et déposez 1 cuillerée de yaourt au centre de chacune. Saupoudrez de coriandre fraîche hachée et servez immédiatement.

1 Faites fondre le beurre dans une grande casserole. Ajoutez les poireaux et les carottes, et mélangez. Couvrez et laissez cuire 10 min, afin d'attendrir un peu les légumes.

2 Incorporez la coriandre moulue et prolongez la cuisson d'1 min environ. Versez le bouillon de volaille et assaisonnez à votre goût. Portez à ébullition, couvrez et laissez mijoter environ 20 min, jusqu'à ce que les légumes soient cuits.

SOUPE DE CAROTTES AU GINGEMBRE

*La note piquante du gingembre
frais accompagne à la perfection
la douceur sucrée des carottes cuites.*

INGRÉDIENTS

Pour 6 personnes

675 g/1½ lb de carottes émincées

10 ml/2 c. à thé de gingembre
frais émincé

25 g/1 oz/2 c. à soupe de beurre ou
de margarine

1 oignon haché

1 branche de céleri hachée

1 pomme de terre moyenne
coupée en dés

1,2 l/2 pintes/5 tasses de bouillon
de volaille

105 ml/7 c. à soupe
de crème fleurette

1 généreuse pincée de muscade
fraîchement râpée

sel et poivre noir fraîchement moulu

1 Faites fondre le beurre ou la margarine avec l'oignon et le céleri dans une cocotte. Laissez cuire 5 min environ, jusqu'à ce que les légumes soient tendres.

2 Incorporez la pomme de terre, les carottes, le gingembre et le bouillon. Portez à ébullition, puis couvrez et laissez mijoter à feu doux 20 min environ.

3 Passez la soupe au mixer ou bien réduisez-la en purée à l'aide d'un moulin à légumes. Transférez la soupe dans la cocotte, ajoutez la crème fleurette et la muscade, et assaisonnez. Réchauffez la soupe à feu doux avant de servir.

VELOUTÉ DE TOPINAMBOURS

INGRÉDIENTS

Pour 4 personnes

450 g/1 lb de topinambours pelés
    et coupés en morceaux
50 g/2 oz/4 c. à soupe de beurre
1 oignon haché
900 ml/1½ pintes/3¾ tasses de
    bouillon de volaille
150 ml/¼ pinte/⅔ tasse de lait
150 ml/¼ pinte/⅔ tasse de crème
    fraîche épaisse
1 généreuse pincée de safran en poudre
sel et poivre noir fraîchement moulu
ciboulette fraîche ciselée,
    pour la garniture

1 Chauffez le beurre dans une grande casserole à fond épais et faites revenir l'oignon 5 à 8 min, sans le laisser brunir, en remuant de temps en temps.

2 Ajoutez les morceaux de topinambours et remuez bien pour les enduire de beurre. Couvrez et laissez cuire 10 à 15 min à feu doux, en veillant à ce que les topinambours ne brunissent pas. Versez le bouillon et le lait, couvrez et laissez mijoter 15 min. Mettez légèrement à refroidir, puis passez le tout au mixer.

3 Passez la soupe au tamis dans la casserole. Incorporez la moitié de la crème fraîche, assaisonnez et réchauffez doucement. Fouettez légèrement la crème restante avec le safran. Répartissez le velouté dans des assiettes chaudes et déposez 1 cuillerée de crème au safran au centre de chacune. Saupoudrez de ciboulette et servez immédiatement.

VELOUTÉ DE PANAIS AUX ÉPICES

Cette soupe pâle et onctueuse doit son originalité à sa garniture épicée d'ail et de coriandre.

INGRÉDIENTS

Pour 4 à 6 personnes

675 g/1¹/₂ lb de panais coupés en dés
5 ml/1 c. à thé de coriandre moulue
2,5 ml/¹/₂ c. à thé de cumin moulu
2,5 ml/¹/₂ c. à thé de curcuma moulu
2 pincées de piment en poudre
40 g/1¹/₂ oz/3 c. à soupe de beurre
1 oignon haché
1,2 l/2 pintes/5 tasses de bouillon
    de volaille
150 ml/¹/₄ pinte/²/₃ tasse
    de crème fleurette
15 ml/1 c. à soupe d'huile
    de tournesol
1 gousse d'ail détaillée en julienne
10 ml/2 c. à thé de graines
    de moutarde
sel et poivre noir fraîchement moulu

1 Chauffez le beurre dans une grande casserole et faites revenir l'oignon et les panais 3 min à petit feu.

2 Incorporez les épices et prolongez la cuisson d'1 min. Mouillez avec le bouillon, salez, poivrez et portez à ébullition.

3 Baissez le feu, couvrez et laissez mijoter 45 min environ, jusqu'à ce que les panais soient tendres. Laissez légèrement refroidir, puis passez le tout au mixer. Remettez la soupe dans la casserole, ajoutez la crème fleurette et réchauffez à feu doux.

4 Dans une petite poêle, chauffez l'huile et faites revenir vivement l'ail et les graines de moutarde, jusqu'à ce que l'ail commence à brunir et que les graines éclatent. Retirez la poêle du feu.

5 Répartissez le velouté dans des assiettes chaudes et garnissez-le d'un peu de mélange épicé. Servez immédiatement.

SOUPE MAROCAINE AUX LÉGUMES

La texture onctueuse du panais associée à celle du potiron donne une soupe délicieusement fondante.

INGRÉDIENTS

Pour 4 personnes
1 oignon haché
225 g/8 oz de carottes hachées
225 g/8 oz de panais hachés
225 g/8 oz de potiron
15 ml/1 c. à soupe d'huile d'olive
   ou de tournesol
15 g/$^{1}/_{2}$ oz/1 c. à soupe de beurre
900 ml/1$^{1}/_{2}$ pintes/3$^{3}/_{4}$ tasses de
   bouillon de légumes ou de volaille
jus de citron, selon le goût
sel et poivre noir fraîchement moulu

Pour la garniture
7,5 ml/1$^{1}/_{2}$ c. à thé d'huile d'olive
$^{1}/_{2}$ gousse d'ail finement hachée
45 ml/3 c. à soupe de persil
   et de coriandre frais hachés
1 généreuse pincée de paprika

1 Chauffez l'huile et le beurre dans une cocotte et faites revenir l'oignon 3 min, en remuant de temps en temps. Ajoutez les carottes et les panais, mélangez, couvrez et prolongez la cuisson 5 min à feu doux.

2 Ôtez la peau et les membranes du potiron et détaillez-le en morceaux. Mettez-les dans la cocotte. Couvrez et faites cuire 5 min avant d'ajouter le bouillon, le sel et le poivre. Portez à ébullition, puis couvrez et laissez mijoter 35 à 40 min, jusqu'à ce que les légumes soient tendres.

3 Laissez refroidir légèrement, puis passez le tout au mixer, en ajoutant un peu d'eau si la soupe vous semble trop épaisse. Réchauffez à feu doux dans une casserole.

4 Pour la garniture, chauffez l'huile dans une petite poêle et faites revenir l'ail et les herbes 1 à 2 min. Ajoutez le paprika et remuez bien.

5 Rectifiez l'assaisonnement et incorporez le jus de citron. Répartissez la soupe dans des assiettes et ajoutez délicatement la garniture sous forme de volute.

CRÈME DE COURGETTES AU DOLCELATTE

Cette soupe se distingue par sa couleur délicate, sa texture crémeuse et son goût subtil. Si vous préférez un goût de fromage plus prononcé, remplacez le dolcelatte par du gorgonzola.

INGRÉDIENTS

Pour 4 à 6 personnes

900 g/2 lb de courgettes émincées
115 g/4 oz de *dolcelatte* coupé en
  dés (sans la croûte)
30 ml/2 c. à soupe d'huile d'olive
15 g/^{1}/$_2$ oz/1 c. à soupe de beurre
1 oignon moyen grossièrement haché
5 ml/1 c. à thé d'origan séché
600 ml/1 pinte/2^1/$_2$ tasses de
  bouillon de légumes
300 ml/^{1}/$_2$ pinte/1^1/$_4$ tasses de
  crème fleurette
sel et poivre noir fraîchement moulu

Pour la garniture
  quelques brins d'origan frais
  un peu de *dolcelatte*

1 Chauffez l'huile d'olive et le beurre dans une cocotte jusqu'à ce que le mélange mousse. Ajoutez l'oignon haché et faites-le revenir 5 min à feu doux, en remuant fréquemment, sans le laisser brunir.

2 Incorporez les courgettes émincées et l'origan, et assaisonnez. Faites cuire 10 min à feu moyen en tournant souvent.

3 Mouillez avec le bouillon et portez à ébullition, en continuant à remuer. Baissez le feu, couvrez partiellement la cocotte et laissez mijoter 30 min environ. Incorporez le *dolcelatte* et tournez jusqu'à ce qu'il fonde.

4 Réduisez la soupe en purée au mixer, puis passez-la au tamis dans une casserole.

5 Ajoutez les ^{2}/$_3$ de la crème et remuez à feu doux jusqu'à ce que la soupe soit chaude, sans la faire bouillir. Vérifiez la consistance et rajoutez du bouillon si elle est trop épaisse. Goûtez et rectifiez éventuellement l'assaisonnement.

6 Répartissez la soupe dans des assiettes chaudes. Incorporez une volute de crème fleurette et garnissez d'origan frais et de *dolcelatte* émietté avant de servir.

POTAGE SAINT-GERMAIN

*Ce potage évoque une ville proche
de Paris où l'on cultivait autrefois
les petits pois dans des jardins
maraîchers.*

INGRÉDIENTS

Pour 2 à 3 personnes

400 g/14 oz/3 tasses de petits pois
  frais écossés (soit 1,5 kg/3 1b
  avec les cosses)
1 petite noix de beurre
2 à 3 échalotes finement hachées
500 ml/17 oz/2¼ tasses d'eau
45 à 60 ml/3 à 4 c. à soupe de
  crème fleurette (facultatif)
sel et poivre noir fraîchement moulu
croûtons, pour la garniture

3 Quand les petits pois sont tendres,
passez-les au mixer avec un peu de
jus de cuisson.

4 Tamisez le potage dans une
casserole, incorporez la crème et
réchauffez le tout sans faire bouillir.
Rectifiez l'assaisonnement et servez bien chaud, garni de croûtons.

CONSEIL
À défaut de petits pois frais,
utilisez des surgelés que vous
aurez pris soin de décongeler
et de rincer avant utilisation.

1 Chauffez le beurre dans une
cocotte et faites revenir les échalotes 3 min environ, en remuant de
temps en temps.

2 Ajoutez les petits pois et l'eau,
et assaisonnez. Couvrez et laissez
mijoter 12 min environ pour des
pois jeunes, ou jusqu'à 18 min pour
des pois plus gros ou plus vieux, en
tournant de temps en temps.

VELOUTÉ DE HARICOTS VERTS AU PARMESAN

*Les haricots verts frais et
le parmesan se marient ici
pour donner une soupe
toute simple mais délicieuse.*

INGRÉDIENTS

Pour 4 personnes

225 g/8 oz de haricots verts équeutés

40 g/1 1/2 oz/1/2 tasse de
parmesan râpé

25 g/1 oz/2 c. à soupe de beurre ou
de margarine

1 gousse d'ail écrasée

450 ml/3/4 pinte/1 7/8 tasses de
bouillon de légumes

50 ml/2 oz/1/4 tasse
de crème fleurette

sel et poivre noir fraîchement moulu

30 ml/2 c. à soupe de persil frais
haché, pour la garniture

1 Chauffez le beurre ou la margarine dans une casserole, puis
mettez à revenir les haricots et l'ail
2 à 3 min à feu moyen, en remuant
fréquemment.

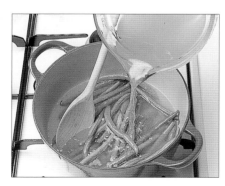

2 Mouillez avec le bouillon et assaisonnez. Portez à ébullition, puis laissez mijoter 10 à 15 min à découvert, jusqu'à ce que les haricots
soient tendres.

3 Passez la soupe au mixer ou
bien réduisez-la en purée à l'aide
d'un moulin à légumes. Remettez-
la dans la casserole et réchauffez
à feu doux.

4 Incorporez le parmesan râpé et
la crème fleurette. Parsemez le
velouté de persil et servez.

[V]

CRÈME D'ÉPINARDS

Une soupe crémeuse que vous vous
surprendrez à refaire avec
un plaisir toujours renouvelé.

INGRÉDIENTS

Pour 4 personnes

675 g/1¹/₂ lb d'épinards frais hachés

25 g/1 oz/2 c. à soupe de beurre

1 petit oignon haché

1,2 l/2 pintes/5 tasses de bouillon
  de légumes

50 g/2 oz de crème de coco

muscade fraîchement râpée

300 ml/¹/₂ pinte/1¹/₄ tasses de
  crème fleurette

sel et poivre noir fraîchement moulu

ciboulette fraîche, pour la garniture

3 Remettez la soupe dans la cocotte. Versez le reste de bouillon et la crème de coco. Assaisonnez de sel, poivre et muscade. Laissez mijoter 15 min jusqu'à épaississement.

4 Incorporez la crème fleurette, mélangez bien et réchauffez le tout, sans faire bouillir. Servez la crème d'épinards bien chaude, garnie de brins de ciboulette fraîche.

1 Chauffez le beurre à feu moyen dans une cocotte et faites revenir l'oignon quelques minutes. Ajoutez les épinards, couvrez et laissez cuire 10 min à feu doux, jusqu'à ce que ceux-ci aient réduit.

2 Mettez les épinards dans un mixer et incorporez un peu de bouillon. Réduisez le tout en une soupe lisse.

POTAGE DE CRESSON

Ce potage, savoureux et nourrissant, s'accommode très bien de pain frais croustillant.

INGRÉDIENTS

Pour 4 personnes

175 g/6 oz environ de cresson
15 ml/1 c. à soupe d'huile
   de tournesol
15 g/1/2 oz/1 c. à soupe de beurre
1 oignon moyen finement haché
1 pomme de terre moyenne coupée
   en dés
400 ml/14 oz/1 2/3 tasses de bouillon
   de légumes
400 ml/14 oz/1 2/3 tasses de lait
jus de citron, selon le goût
sel et poivre noir fraîchement moulu
crème aigre, pour la garniture

1 Chauffez l'huile et le beurre dans une grande casserole et faites fondre l'oignon à feu doux, sans le laisser brunir. Ajoutez les dés de pomme de terre, faites-les revenir doucement 2 à 3 min, puis couvrez et laissez cuire 5 min à feu doux, en remuant de temps en temps.

2 Séparez les feuilles de cresson des tiges et hachez grossièrement ces dernières.

REMARQUE
Hormis la crème fraîche, cette soupe est très peu calorique.

3 Versez le bouillon et le lait dans la casserole, incorporez les tiges de cresson et assaisonnez. Portez à ébullition, couvrez partiellement et laissez mijoter 10 à 12 min à feu doux, jusqu'à ce que la pomme de terre soit tendre. Ajoutez presque toutes les feuilles de cresson et prolongez la cuisson 2 min.

4 Passez le tout au mixer, puis remettez le potage dans la casserole avec le reste des feuilles de cresson. Réchauffez à feu doux.

5 Goûtez le potage, ajoutez un peu de jus de citron et rectifiez l'assaisonnement si nécessaire.

6 Répartissez le potage dans des assiettes chaudes et garnissez-les d'1 cuillerée de crème fraîche juste avant de servir.

CRÈME D'AVOCATS

Cette soupe est onctueuse, à la jolie couleur verte.

INGRÉDIENTS

Pour 4 personnes

2 gros avocats mûrs

1 l/1³/₄ pintes/4 tasses de bouillon de volaille

250 ml/8 oz/1 tasse de crème fleurette

sel et poivre noir fraîchement moulu

15 ml/1 c. à soupe de coriandre fraîche finement ciselée, pour la garniture (facultatif)

1 Partagez les avocats en deux, retirez les noyaux et la peau. Écrasez la chair, puis passez-la au tamis dans une jatte chaude, à l'aide d'une cuillère en bois.

2 Dans une casserole, chauffez le bouillon de volaille et la crème fleurette. Quand le mélange est bien chaud, mais non bouillant, incorporez-le dans la purée d'avocats en fouettant bien.

3 Assaisonnez et servez aussitôt, en garnissant éventuellement de coriandre. La crème d'avocats peut aussi se consommer très froide.

CRÈME DE POIVRONS ROUGES

Les poivrons grillés donnent une délicate saveur sucrée et fumée aux salades, mais aussi aux soupes, telle cette crème onctueuse, subtilement parfumée au romarin, qui peut se déguster chaude ou froide, selon votre préférence.

INGRÉDIENTS

Pour 4 personnes

4 poivrons rouges
25 g/1 oz/2 c. à soupe de beurre
1 oignon finement haché
1 brin de romarin frais
1,2 l/2 pintes/5 tasses de bouillon
   de volaille ou de légumes (léger)
45 ml/3 c. à soupe de concentré
   de tomates
120 ml/4 oz/½ tasse
   de crème fraîche
paprika
sel et poivre noir fraîchement moulu

1 Préchauffez le gril. Disposez les poivrons entiers sur une plaque de four et enfournez-les, en les tournant régulièrement jusqu'à ce que la peau cloque et noircisse. Laissez-les refroidir 20 min dans des sacs en plastique bien fermés.

2 Retirez la peau noircie des poivrons. Évitez si possible de les rincer à l'eau courante, car cela leur ferait perdre leur huile naturelle, et donc leur parfum.

3 Partagez les poivrons en deux, retirez les graines, les tiges et les membranes, puis hachez grossièrement la chair.

4 Chauffez le beurre dans une grande casserole. Ajoutez l'oignon et le romarin, et faites revenir 5 min à feu doux. Ôtez le romarin.

5 Incorporez les poivrons et le bouillon, portez à ébullition et laissez mijoter 15 min. Mélangez avec le concentré de tomates, puis passez le tout au mixer ou au tamis.

6 Ajoutez la moitié de la crème et assaisonnez de paprika, de poivre et, éventuellement, de sel.

7 Servez la soupe chaude ou glacée, garnie d'une volute de crème fraîche et légèrement saupoudrée de paprika.

VELOUTÉ DE TOMATES

INGRÉDIENTS

Pour 4 personnes

900 g/2 lb de tomates pelées et
   coupées en quartiers
25 g/1 oz/2 c. à soupe de beurre ou
   de margarine
1 oignon haché
2 carottes hachées
450 ml/³/4 pinte/1⁷/8 tasses de
   bouillon de volaille
30 ml/2 c. à soupe de persil
   frais haché
2,5 ml/¹/2 c. à thé de feuilles de thym
   frais, plus un peu pour la garniture
75 ml/5 c. à soupe de crème
   fleurette (facultatif)
sel et poivre noir fraîchement moulu

1 Chauffez le beurre ou la margarine dans une cocotte et faites revenir l'oignon 5 min.

2 Incorporez les tomates, les carottes, le bouillon, le persil et le thym.
Portez à ébullition, puis baissez le
feu, couvrez et laissez mijoter 15 à
20 min, jusqu'à ce que les légumes
soient tendres.

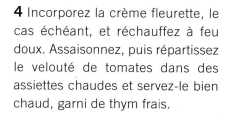

4 Incorporez la crème fleurette, le
cas échéant, et réchauffez à feu
doux. Assaisonnez, puis répartissez
le velouté de tomates dans des
assiettes chaudes et servez-le bien
chaud, garni de thym frais.

3 Passez le mélange au moulin à
légumes, puis remettez-le dans la
cocotte.

CONSEIL
Charnues et parfumées, les
tomates roma sont particulièrement
recommandées pour ce velouté.

CRÈME D'OIGNONS NOUVEAUX

INGRÉDIENTS

Pour 4 à 6 personnes

150 g/5 oz/1¾ tasses d'oignons
   nouveaux hachés
1 petit oignon haché
25 g/1 oz/2 c. à soupe de beurre
225 g/8 oz de pommes de terre
   pelées et coupées en dés
600 ml/1 pinte/2½ tasses de
   bouillon de légumes
350 ml/12 oz/1½ tasses
   de crème fleurette
30 ml/2 c. à soupe de jus de citron
sel et poivre noir fraîchement moulu
oignons nouveaux ou ciboulette
   fraîche haché(e)s, pour la garniture

1 Faites fondre le beurre dans une casserole et ajoutez les oignons. Couvrez et laissez cuire 10 min à feu très doux.

2 Incorporez les dés de pommes de terre et le bouillon. Portez à ébullition, puis couvrez et faites mijoter 30 min à feu doux. Laissez ensuite légèrement refroidir.

3 Passez la soupe au mixer.

4 Si vous souhaitez la servir chaude, transférez la soupe dans la casserole. Ajoutez la crème et assaisonnez. Réchauffez-la doucement, en remuant de temps en temps, puis incorporez le jus de citron.

5 Si vous souhaitez la servir froide, versez la soupe dans une jatte. Incorporez la crème et le jus de citron, puis assaisonnez. Couvrez la jatte et placez-la au réfrigérateur pendant au moins 1 h.

6 Garnissez la crème d'oignons nouveaux ou de ciboulette avant de servir.

POTAGE DE CÉLERI-RAVE ET D'ÉPINARDS

Le céleri-rave possède un goût fin et très particulier, qui peut rappeler celui de la noisette. Ici, on le mélange à des épinards pour un potage agréablement parfumé.

INGRÉDIENTS

Pour 6 personnes

   500 g/1¼ lb de céleri-rave
     coupé en dés
   200 g/7 oz d'épinards frais
   1 l/1¾ pintes/4 tasses d'eau
   250 ml/8 oz/1 tasse de vin blanc sec
   1 poireau grossièrement émincé
   muscade fraîchement râpée
   sel et poivre noir fraîchement moulu
   25 g/1 oz/¼ tasse de pignons, pour
     la garniture

1 Dans une carafe, mélangez l'eau et le vin. Mettez le poireau, le céleri-rave et les épinards dans une casserole profonde, puis versez le liquide. Portez à ébullition, baissez le feu et laissez mijoter 10 à 15 min, afin que les légumes soient tendres.

2 Passez le tout au mixer, en plusieurs fois si nécessaire. Transférez le potage dans la casserole et assaisonnez de sel, de poivre et de muscade. Réchauffez à feu doux.

3 Chauffez une poêle antiadhésive (sans ajouter d'huile) et faites dorer les pignons, en remuant de temps en temps pour les empêcher d'attacher. Garnissez-en le potage et servez immédiatement.

CONSEIL
S'il est trop épais, allongez le potage avec un peu d'eau ou de lait demi-écrémé au moment de le mixer.

SOUPE DE CHAMPIGNONS À L'ESTRAGON

Cette soupe, subtilement aromatisée à l'estragon, est très légère.

INGRÉDIENTS

Pour 6 personnes

450 g/1 1b/6 tasses de champignons sauvages finement hachés

15 g/½ oz/1 c. à soupe de beurre

4 échalotes finement hachées

300 ml/½ pinte/1¼ tasses de bouillon de légumes

300 ml/½ pinte/1¼ tasses de lait demi-écrémé

15 à 30 ml/1 à 2 c. à soupe d'estragon frais haché

30 ml/2 c. à soupe de xérès sec (facultatif)

sel et poivre noir fraîchement moulu

brins d'estragon frais, pour la garniture

1 Chauffez le beurre ou la margarine dans une grande casserole et faites revenir les échalotes 5 min, en remuant de temps en temps. Ajoutez les champignons et faites-les cuire 3 min en tournant. Mouillez avec le bouillon et le lait.

2 Portez à ébullition, puis couvrez et laissez mijoter 20 min environ, jusqu'à ce que les champignons soient tendres. Incorporez l'estragon haché et assaisonnez.

3 Laissez la soupe refroidir légèrement, puis passez-la au mixer, en plusieurs fois si nécessaire. Remettez-la dans la casserole et réchauffez-la doucement.

4 Ajoutez le xérès, le cas échéant, puis répartissez la soupe dans des assiettes chaudes et garnissez-la de brins d'estragon.

VARIANTE

Vous pouvez utiliser un mélange de champignons sauvages et de champignons de Paris.

CRÈME DE CHAMPIGNONS

*Ici, on a utilisé des champignons
de Paris pour leur couleur pâle ;
des variétés sauvages donneront
une saveur et une coloration
plus prononcées à cette crème.*

INGRÉDIENTS
Pour 4 personnes

275 g/10 oz de champignons de Paris
15 ml/1 c. à soupe d'huile
    de tournesol
40 g/1½ oz/3 c. à soupe de beurre
1 petit oignon finement haché
15 ml/1 c. à soupe de farine
450 ml/¾ pinte/1⅞ tasses de
    bouillon de légumes
450 ml/¾ pinte/1⅞ tasses
    de lait écrémé
1 pincée de basilic séché
30 à 45 ml/2 à 3 c. à soupe de crème
    fleurette (facultatif)
sel et poivre noir fraîchement moulu
feuilles de basilic frais, pour la garniture

1 Nettoyez les champignons et séparez les pieds des têtes. Émincez finement les têtes et hachez les pieds en tout petits morceaux.

2 Chauffez l'huile et la moitié du beurre dans une cocotte, puis ajoutez l'oignon, les pieds et les ¾ des têtes de champignons. Faites revenir 1 à 2 min, en remuant fréquemment, puis couvrez et laissez mijoter 6 à 7 min à feu doux, en tournant de temps en temps.

3 Incorporez la farine et prolongez la cuisson 1 min. Versez progressivement le bouillon et le lait pour obtenir une sauce lisse et fluide. Ajoutez le basilic séché et assaisonnez. Portez à ébullition, couvrez partiellement, puis faites mijoter 15 min.

4 Laissez refroidir légèrement la soupe, puis passez-la au mixer. Chauffez le reste de beurre dans une poêle et faites sauter 3 à 4 min le reste des têtes de champignons, jusqu'à ce qu'elles soient tendres.

5 Transférez la soupe dans la casserole et incorporez les champignons sautés. Réchauffez le tout et rectifiez l'assaisonnement. Ajoutez la crème fleurette, le cas échéant. Servez la crème de champignons très chaude, garnie de basilic frais.

SOUPE DE LÉGUMES À LA BALINAISE

N'importe quel légume de saison fera l'affaire pour cette soupe indonésienne appelée Sayur oelih.

INGRÉDIENTS

Pour 8 personnes

225 g/8 oz de haricots verts
225 g/8 oz de pousses de soja
1,2 l/2 pintes/5 tasses
   d'eau bouillante
400 ml/14 oz/1²/₃ tasses de lait
   de coco
1 gousse d'ail
2 noix de macadamia ou 4 amandes
1 cube de *terasi* (pâte de crevettes)
   d'1 cm/¹/₂ po
10 à 15 ml/2 à 3 c. à thé de graines
   de coriandre grillées et moulues
huile à friture
1 oignon finement émincé
2 *duan salam* ou feuilles de laurier
30 ml/2 c. à soupe de jus de citron
sel

1 Équeutez les haricots verts et coupez-les en petits tronçons. Faites-les cuire 3 à 4 min dans de l'eau bouillante salée, puis égouttez-les et réservez l'eau de cuisson.

2 Retirez 45 à 60 ml/3 à 4 c. à soupe de crème à la surface du lait de coco et réservez-les.

3 Passez l'ail, les noix de macadamia ou les amandes, le *terasi* et la coriandre au mixer ou broyez-les avec un mortier et un pilon, pour obtenir une pâte.

4 Chauffez l'huile dans un wok ou une casserole et faites revenir l'oignon jusqu'à ce qu'il soit transparent. Réservez. Faites revenir la pâte mixée 2 min sans la laisser brunir. Mouillez avec l'eau de cuisson des haricots et le lait de coco. Portez à ébullition, puis ajoutez le *duan salam* ou les feuilles de laurier. Faites cuire 15 à 20 min à découvert.

5 Juste avant de servir, incorporez les haricots, l'oignon sauté, les pousses de soja, la crème de coco réservée et le jus de citron. Goûtez et rectifiez, éventuellement, l'assaisonnement. Servez la soupe de légumes immédiatement.

V

SOUPE INDIENNE AU YAOURT

INGRÉDIENTS

Pour 4 à 6 personnes

450 ml/¾ pinte/1⅞ tasses de
  yaourt nature battu
25 g/1 oz/¼ tasse de *besan* (farine
  de pois chiches)
2,5 ml/½ c. à thé de piment
  en poudre
2,5 ml/½ c. à thé de sel de curcuma
2 à 3 piments verts frais
  finement hachés
60 ml/4 c. à soupe d'huile végétale
1 piment rouge séché entier
5 ml/1 c. à thé de graines de cumin
3 à 4 feuilles de curry
3 gousses d'ail écrasées
1 morceau de gingembre frais
  de 5 cm/2 po, pelé et écrasé
30 ml/2 c. à soupe de coriandre
  fraîche hachée

1 Mélangez le yaourt, le *besan,*
le piment en poudre et le sel de
curcuma, puis passez le mélange
au tamis dans une casserole.
Ajoutez les piments verts et faites
cuire 10 min à feu doux, en
remuant de temps en temps. Veillez
à ne pas faire bouillir la soupe.

2 Chauffez l'huile dans une poêle
et faites revenir les épices restantes, l'ail et le gingembre, jusqu'à
ce que le piment séché devienne
noir. Incorporez 15 ml/1 c. à soupe
de coriandre fraîche hachée.

3 Versez les épices sur la soupe au
yaourt, couvrez et laissez reposer
5 min. Mélangez bien et réchauffez
5 min à feu doux. Servez la soupe
bien chaude, garnie du reste de
coriandre fraîche hachée.

SOUPE À L'ŒUF ET AU PARMESAN

Voici une soupe romaine classique. Les œufs et le fromage sont incorporés dans un bouillon chaud, créant la texture « caillée » caractéristique de ce plat.

INGRÉDIENTS

Pour 6 personnes

3 œufs
90 ml/6 c. à soupe de parmesan râpé
45 ml/3 c. à soupe de semoule fine
1 pincée de muscade
   fraîchement râpée
1,5 l/2½ pintes/6¼ tasses de
   bouillon de volaille ou de viande
sel et poivre noir fraîchement moulu
12 tranches de pain,
   pour la garniture

1 Dans une jatte, battez les œufs, la semoule et le parmesan. Ajoutez la muscade, puis incorporez 250 ml/ 8 oz de bouillon, en fouettant bien.

2 Pendant ce temps, chauffez le reste du bouillon dans une grande casserole, jusqu'à ce qu'il frémisse.

3 Dans le bouillon chaud, incorporez le mélange aux œufs avec le fouet. Assaisonnez, puis augmentez légè- rement le feu et cuisez 3 à 4 min à frémissement. La cuisson des œufs devrait faire « tourner » la soupe.

4 Avant de servir, faites griller les tranches de pain et mettez-en 2 au fond de chaque assiette. Versez la soupe dessus et servez aussitôt.

VELOUTÉ DE MAÏS

Très simple à préparer, ce velouté combine une multitude de parfums. On peut y ajouter des piments poblano, *mais ceux-ci sont difficiles à trouver.*

INGRÉDIENTS

Pour 4 personnes

450 g/1 lb/2²/₃ tasses de maïs doux
    en grains, en conserve ou surgelés
    et décongelés
30 ml/2 c. à soupe d'huile de maïs
1 oignon finement haché
1 poivron rouge épépiné et haché
750 ml/1¼ pintes/3 tasses de
    bouillon de volaille
250 ml/8 oz/1 tasse
    de crème fleurette
sel et poivre noir fraîchement moulu
½ poivron rouge épépiné et détaillé
    en petits dés, pour la garniture

1 Chauffez l'huile dans une poêle et faites revenir l'oignon et le poivron rouge hachés 5 min, jusqu'à ce qu'ils soient tendres. Ajoutez le maïs et laissez cuire 2 min.

2 Transférez délicatement le contenu de la poêle dans un mixer et réduisez-le en purée, en raclant les bords du mixer et en ajoutant un peu de bouillon si nécessaire.

3 Mettez le mélange dans une casserole et incorporez le bouillon. Assaisonnez, puis faites frémir pendant 5 min.

4 Ajoutez délicatement la crème fleurette. Le velouté de maïs se déguste chaud ou glacé, garni de dés de poivron rouge. Pour le servir chaud, faites-le réchauffer doucement après avoir ajouté la crème, sans le faire bouillir.

SOUPE DE HARICOTS BLANCS

On peut se faire avec des cocos blancs ou des haricots de Lima.

INGRÉDIENTS

Pour 4 personnes

175 g/6 oz/³/₄ tasse de haricots blancs secs, ayant trempé dans de l'eau froide toute la nuit

30 à 45 ml/2 à 3 c. à soupe d'huile

2 gros oignons hachés

4 branches de céleri hachées

1 panais haché

1 l/1³/₄ pintes/4 tasses de bouillon de volaille

sel et poivre noir fraîchement moulu

coriandre fraîche hachée et paprika, pour la garniture

1 Égouttez les haricots et faites-les cuire 10 min à l'eau bouillante dans une casserole. Égouttez-les et remettez-les dans la casserole. Couvrez d'eau et laissez mijoter 1 à 2 h, jusqu'à ce qu'ils soient tendres. Réservez l'eau de cuisson et retirez les haricots qui flottent à la surface.

2 Chauffez l'huile dans une poêle épaisse et faites revenir les oignons, le céleri et le panais pendant 3 min.

CONSEIL

Vous pouvez remplacer les haricots secs par une boîte de 400 g/14 oz de haricots blancs en conserve, que vous égoutterez et rincerez avant de les ajouter à la préparation.

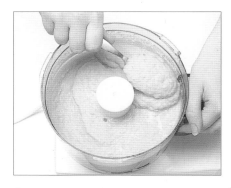

3 Ajoutez les haricots cuits et le bouillon, puis prolongez la cuisson jusqu'à ce que les légumes soient tendres. Laissez refroidir légèrement avant de passer au mixer pour obtenir une soupe onctueuse.

4 Réchauffez doucement la soupe, en ajoutant progressivement un peu d'eau de cuisson si elle est trop épaisse. Assaisonnez.

5 Répartissez la soupe dans des assiettes, garnissez-les de coriandre fraîche et de paprika, puis servez.

SOUPE DE POTIRON À LA CRÈME DE COCO

De délicieux parfums se mêlent aux notes épicées inspirée de l'Asie.

INGRÉDIENTS

Pour 4 à 6 personnes

450 g/1 lb de potiron coupé en dés de 2 cm/³/₄ po

600 ml/1 pinte/2¹/₂ tasses de crème de coco

2 gousses d'ail écrasées

4 échalotes finement hachées

2.5 ml/¹/₂ c. à thé de *terasi* (pâte de crevettes)

15 ml/1 c. à soupe de crevettes séchées, trempées 10 min dans de l'eau et égouttées

1 tige de citronnelle hachée

2 piments verts frais épépinés

600 ml/1 pinte/2¹/₂ tasses de bouillon de volaille

30 ml/2 c. à soupe de sauce de poisson

5 ml/1 c. à thé de sucre

115 g/4 oz de petites crevettes cuites décortiquées

sel et poivre noir fraîchement moulu

Pour la garniture

2 piments rouges frais épépinés et finement émincés

10 à 12 feuilles de basilic frais

1 Avec un mortier et un pilon, broyez l'ail, les échalotes, le *terasi,* les crevettes séchées, la citronnelle, les piments verts et 1 pincée de sel, jusqu'à obtention d'une pâte.

2 Dans une grande casserole, portez le bouillon de volaille à ébullition, incorporez la pâte et remuez bien jusqu'à dissolution.

3 Baissez le feu, ajoutez les dés de potiron et laissez mijoter 10 à 15 min jusqu'à ce qu'ils soient tendres.

4 Incorporez la crème de coco, puis portez de nouveau à ébullition. Mettez la sauce de poisson, le sucre et le poivre noir.

5 Ajoutez les crevettes et laissez-les chauffer. Servez la soupe garnie de lamelles de piments rouges et de feuilles de basilic frais.

REMARQUE
Le *terasi* est une pâte faite à partir de crevettes fermentées en saumure qui sert, en Asie, à saler les plats.

BISQUE DE CREVETTES AU MAÏS

INGRÉDIENTS

Pour 4 personnes

115 g/4 oz/1 tasse de petites
crevettes cuites décortiquées,
veines ôtées

225 g/8 oz/1½ tasses de maïs doux
en grains

30 ml/2 c. à soupe d'huile d'olive

1 oignon finement émincé

50 g/2 oz/4 c. à soupe de beurre ou
de margarine

25 g/1 oz/¼ tasse de farine

750 ml/1¼ pintes/3 tasses de fumet
de poisson

250 ml/8 oz/1 tasse de lait

2,5 ml/½ c. à thé d'aneth
ou de thym frais haché

sauce pimentée, type Tabasco

120 ml/4 oz/½ tasse
de crème fleurette

sel

bouquets d'aneth frais, pour la garniture

1 Chauffez l'huile dans une grande casserole à fond épais. Ajoutez l'oignon émincé et faites-le revenir 8 à 10 min à feu très doux.

2 Dans le même temps, chauffez le beurre ou la margarine dans une casserole. Incorporez la farine et laissez cuire 1 à 2 min, sans cesser de remuer. Mouillez avec le bouillon et le lait, portez à ébullition et faites mijoter 5 à 8 min en tournant souvent.

3 Coupez chaque crevette en 2 ou 3 morceaux et ajoutez-les à l'oignon, ainsi que le maïs et l'aneth ou le thym. Faites cuire 2 à 3 min, puis retirez du feu.

4 Versez la sauce sur la préparation aux crevettes et mélangez bien. Retirez 750 ml/1¼ pintes/3 tasses de ce mélange et passez au mixer. Incorporez le mélange mixé au reste de soupe et remuez bien. Assaisonnez de sel et de sauce pimentée.

5 Ajoutez la crème fleurette. Chauffez la bisque jusqu'au point d'ébullition, en remuant fréquemment.

6 Répartissez la bisque dans des assiettes et servez-la bien chaude, garnie de bouquets d'aneth.

BISQUE DE CREVETTES

La recette classique de la bisque exige que les crustacés soient passés au tamis. Cette version plus simple donne un résultat tout aussi onctueux.

INGRÉDIENTS
Pour 6 à 8 personnes

675 g/1¹⁄₂ lb de crevettes cuites, petites ou moyennes, non décortiquées
25 ml/1¹⁄₂ c. à soupe d'huile végétale
2 oignons émincés
1 belle carotte émincée
2 branches de céleri émincées
2 l/3¹⁄₂ pintes/9 tasses d'eau
1 filet de citron
30 ml/2 c. à soupe de concentré de tomates
1 bouquet garni
50 g/2 oz/4 c. à soupe de beurre
50 g/2 oz/¹⁄₃ tasse de farine
45 à 60 ml/3 à 4 c. à soupe de cognac
150 ml/¹⁄₄ pinte/²⁄₃ tasse de crème fleurette

1 Retirez les têtes et les carapaces des crevettes et réservez-les pour le bouillon. Mettez les crevettes dans une jatte couverte au réfrigérateur.

2 Chauffez l'huile dans une cocotte, ajoutez les têtes et les carapaces de crevettes, et laissez cuire à feu vif en remuant, jusqu'à ce qu'elles brunissent. Baissez légèrement le feu, incorporez les légumes et faites-les revenir 5 min, en tournant de temps en temps.

3 Ajoutez l'eau, le jus de citron, le concentré de tomates et le bouquet garni. Portez le bouillon à ébullition, puis baissez le feu, couvrez et laissez mijoter 25 min. Filtrez le bouillon.

4 Dans une casserole à fond épais, chauffez le beurre à feu moyen. Incorporez la farine et faites dorer le mélange, en remuant de temps en temps.

5 Ajoutez le cognac. Versez peu à peu le bouillon de crevettes, en fouettant vigoureusement afin que le mélange soit homogène. Assaisonnez si nécessaire. Baissez le feu, couvrez et laissez mijoter 5 min, en remuant fréquemment.

6 Transférez la bisque dans une autre casserole. Ajoutez la crème et un peu de jus de citron, puis incorporez presque toutes les crevettes réservées et faites réchauffer à feu moyen, en remuant fréquemment. Servez la bisque immédiatement, garnie du reste des crevettes.

CONSEIL
Cette bisque sera tout aussi savoureuse si vous ne mettez pas de cognac.

SOUPE DE POISSON À LA PATATE DOUCE

Le goût légèrement sucré de la patate douce se conjugue au poisson et au parfum de l'origan pour une soupe particulièrement raffinée.

INGRÉDIENTS

Pour 4 personnes

175 g/6 oz de filet de poisson blanc
    sans la peau
175 g/6 oz de patate douce pelée
    et coupée en dés
½ oignon haché
50 g/2 oz de carottes hachées
5 ml/1 c. à thé d'origan frais ou
    2,5 ml/½ c. à thé d'origan séché
2,5 ml/½ c. à thé de cannelle moulue
1,5 l/2½ pintes/6¼ tasses de
    fumet de poisson
75 ml/5 c. à soupe de crème fleurette
persil frais haché, pour la garniture

1 Dans une casserole, réunissez le hachis d'oignon, la patate douce, le poisson, les carottes, l'origan, la cannelle et la moitié du fumet de poisson. Portez à ébullition, puis laissez mijoter 20 min, jusqu'à ce que la patate douce soit tendre.

2 Laissez refroidir, puis passez la préparation au mixer.

3 Remettez la soupe dans la casserole, puis mouillez avec le reste du fumet et portez doucement à ébullition. Baissez le feu et ajoutez la crème, puis réchauffez à feu doux sans faire bouillir, en remuant de temps en temps.

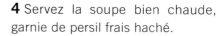

4 Servez la soupe bien chaude, garnie de persil frais haché.

VARIANTE

Vous pouvez remplacer le persil par de l'estragon frais haché.

SOUPE DE COURGE À LA CRÈME DE RAIFORT

V

Le mélange de crème, de curry et de raifort constitue une délicieuse garniture pour cette soupe orangée.

INGRÉDIENTS

Pour 6 personnes

1 courge butternut
1 pomme à cuire
25 g/1 oz/2 c. à soupe de beurre
1 oignon finement haché
5 à 10 ml/1 à 2 c. à thé de curry
  en poudre, plus un peu pour
  la garniture
900 ml/1½ pintes/3¾ tasses de
  bouillon de légumes
5 ml/1 c. à thé de sauge
  fraîche hachée
150 ml/¼ pinte/⅔ tasse de jus
  de pommes
sel et poivre noir fraîchement moulu
zestes de citron vert (facultatif)

Pour la crème de raifort

60 ml/4 c. à soupe de crème fraîche
10 ml/2 c. à thé de sauce au raifort
2,5 ml/½ c. à thé de curry
  en poudre

1 Pelez la courge, retirez les graines et hachez la chair. Pelez, évidez et hachez la pomme.

2 Chauffez le beurre dans une grande sauteuse. Faites revenir l'oignon 5 min, en remuant de temps en temps. Incorporez le curry et laissez cuire 2 min, sans cesser de tourner, jusqu'à ce que le parfum s'exhale.

3 Ajoutez le bouillon, la courge, la pomme et la sauge. Portez à ébullition, puis baissez le feu, couvrez et laissez mijoter 20 min, afin que la courge et la pomme soient tendres.

4 Préparez la crème de raifort. Fouettez la crème fraîche en chantilly dans un bol, puis incorporez la sauce au raifort et le curry. Couvrez et réservez au réfrigérateur.

5 Passez la soupe au mixer, puis remettez-la dans la casserole. Ajoutez le jus de pommes, le sel et le poivre. Réchauffez doucement sans faire bouillir.

6 Répartissez la soupe dans des assiettes, et garnissez d'1 cuillerée de crème de raifort et d'1 pincée de curry. Décorez éventuellement de quelques zestes de citron vert.

SOUPE DE POULET À LA CITRONNELLE

INGRÉDIENTS

Pour 4 personnes

450 g/1 lb de cuisses de poulet désossées et sans la peau, coupées en morceaux

5 ml/1 c. à thé d'huile

1 à 2 piment(s) rouge(s) frais, épépiné(s) et haché(s)

2 gousses d'ail écrasées

1 gros poireau finement émincé

600 ml/1 pinte/2 1/2 tasses de bouillon de volaille

400 ml/14 oz/1 2/3 tasses de lait de coco

30 ml/2 c. à soupe de sauce de poisson

1 tige de citronnelle fendue

1 morceau de gingembre frais de 2,5 cm/1 po, pelé et finement haché

5 ml/1 c. à thé de sucre

4 feuilles de citronnier (facultatif)

75 g/3 oz/3/4 tasse de petits pois surgelés, décongelés

45 ml/3 c. à soupe de coriandre fraîche hachée

3 Incorporez le poulet, la sauce de poisson, la citronnelle, le gingembre, le sucre et, éventuellement, les feuilles de citronnier. Baissez le feu et laissez mijoter 15 min à couvert, en remuant de temps en temps.

4 Ajoutez les petits pois et prolongez la cuisson 3 min. Retirez la citronnelle et incorporez la coriandre juste avant de servir la soupe.

1 Chauffez l'huile dans une grande casserole, puis faites revenir les piments et l'ail 2 min environ. Ajoutez le poireau et prolongez la cuisson 2 min.

2 Mouillez avec le bouillon et le lait de coco, puis portez à ébullition.

SOUPE ÉPICÉE DE POULET AUX CHAMPIGNONS

INGRÉDIENTS

Pour 4 personnes

225 g/8 oz de poulet désossé et sans
la peau
75 g/3 oz/1 ⅛ tasse de champignons
de Paris émincés
75 g/3 oz/6 c. à soupe de beurre
2,5 ml/½ c. à thé d'ail écrasé
5 ml/1 c. à thé de *garam massala*
5 ml/1 c. à thé de grains de poivre
noir concassés
5 ml/1 c. à thé de sel
2 pincées de muscade
fraîchement râpée
1 poireau moyen émincé
50 g/2 oz/⅓ tasse de maïs doux
en grains
300 ml/½ pinte/1 ¼ tasses d'eau
250 ml/8 oz/1 tasse
de crème fleurette
30 ml/2 c. à soupe de coriandre
fraîche hachée
5 ml/1 c. à thé de piment rouge
séché broyé, pour la garniture
(facultatif)

3 Retirez du feu et laissez légèrement refroidir. Transférez les ¾ de
la préparation dans un mixer, ajoutez l'eau et mixez pendant 1 min.

4 Remettez la purée obtenue dans
la casserole et mélangez au reste
de la préparation. Portez à ébullition à feu moyen. Baissez le feu et
incorporez la crème fleurette.

5 Ajoutez la coriandre. Goûtez et
rectifiez l'assaisonnement. Servez
la soupe bien chaude, garnie éventuellement de piment rouge broyé.

1 Faites fondre le beurre dans une
casserole. Baissez légèrement le feu
et ajoutez l'ail et le *garam massala.*
Réduisez encore le feu et incorporez les grains de poivre, le sel et
la muscade.

2 Détaillez le poulet en très fines
lamelles et mettez-les dans la casserole avec le poireau, les champignons et le maïs. Faites sauter 5 à
7 min, sans cesser de remuer, jusqu'à ce que le poulet soit bien cuit.

SOUPE DE POULET AUX AMANDES

INGRÉDIENTS

Pour 4 personnes

115 g/4 oz/1 tasse de poulet désossé,
  sans la peau et coupé en dés

75 g/3 oz/³/₄ tasse d'amandes
  en poudre

75 g/3 oz/6 c. à soupe de beurre

1 poireau moyen haché

2,5 ml/¹/₂ c. à thé de gingembre
  frais râpé

5 ml/1 c. à thé de sel

2,5 ml/¹/₂ c. à thé de grains de
  poivre noir concassés

1 piment vert frais haché

1 carotte moyenne émincée

50 g/2 oz/¹/₂ tasse de petits
  pois surgelés

30 ml/2 c. à soupe de coriandre
  fraîche hachée

450 ml/³/₄ pinte/1⁷/₈ tasses d'eau

250 ml/8 oz/1 tasse
  de crème fleurette

4 brins de coriandre fraîche

1 Chauffez le beurre dans un wok, puis faites revenir le poireau et le gingembre jusqu'à ce qu'ils commencent à brunir.

2 Baissez le feu, puis ajoutez les amandes, le sel, le poivre, le piment, la carotte, les petits pois et le poulet. Faites revenir 10 min environ, en remuant constamment, jusqu'à ce que le poulet soit bien cuit. Incorporez la coriandre hachée.

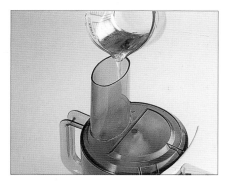

3 Retirez du feu et laissez légèrement refroidir. Transférez la préparation dans un mixer et actionnez pendant environ 1 min 30. Mouillez avec l'eau et mixez encore 30 s.

4 Remettez la soupe dans le wok et portez à ébullition, sans cesser de remuer. Dès qu'elle bout, baissez le feu et incorporez peu à peu la crème fleurette. Prolongez la cuisson 2 min, en remuant de temps en temps. Servez la soupe garnie de coriandre fraîche.

Soupes chaudes
d'hiver

[V] # BORTSCH

Merveilleusement colorée,
cette soupe russe fait une entrée
aussi esthétique qu'originale.

INGRÉDIENTS
Pour 6 personnes
450 g/1 lb de betteraves pelées
   et hachées
1 oignon haché
2 branches de céleri hachées
½ poivron rouge haché
115 g/4 oz de champignons
   de Paris hachés
1 belle pomme à cuire hachée
25 g/1 oz/2 c. à soupe de beurre
30 ml/2 c. à soupe d'huile
   de tournesol
2 l/3½ pintes/9 tasses de bouillon
   de légumes ou d'eau
5 ml/1 c. à thé de graines de cumin
1 pincée de thym séché
1 grosse feuille de laurier
jus de citron frais
sel et poivre noir fraîchement moulu
Pour la garniture
150 ml/¼ pinte/⅔ tasse
   de crème fraîche
quelques brins d'aneth frais

CONSEIL
Cette soupe exquise
sera encore meilleure si vous
la préparez la veille.

1 Dans une grande casserole, réunissez les légumes et la pomme hachés, le beurre, l'huile et 45 ml/ 3 c. à soupe de bouillon ou d'eau. Couvrez et faites cuire 15 min à feu doux, en remuant de temps en temps.

2 Incorporez les graines de cumin et prolongez la cuisson 1 min, puis ajoutez le reste de bouillon ou d'eau, le thym, le laurier, le jus de citron, le sel et le poivre.

3 Portez à ébullition, puis couvrez et laissez frémir 30 min environ à feu doux.

4 Égouttez la préparation de légumes et réservez le jus de cuisson. Mixez la préparation en une purée lisse et onctueuse.

5 Remettez la purée dans la casserole, versez le bouillon réservé et réchauffez. Vérifiez l'assaisonnement.

6 Répartissez le bortsch dans des assiettes, puis garnissez chacune d'elles d'une volute de crème fraîche et de quelques brins d'aneth.

V SOUPE DE CÉLERI AU CURRY

Cette soupe chaleureuse, insolite mélange de parfums, constitue un excellent moyen d'accommoder le céleri.

INGRÉDIENTS

Pour 4 à 6 personnes

675 g/1½ lb de céleri en branches haché
15 ml/1 c. à soupe de curry en poudre assez fort
10 ml/2 c. à thé d'huile d'olive
1 oignon haché
1 poireau émincé
225 g/8 oz de pommes de terre non pelées, lavées et coupées en dés
900 ml/1½ pintes/3¾ tasses de bouillon de légumes
1 bouquet garni
30 ml/2 c. à soupe d'herbes aromatiques hachées
sel
graines et feuilles de céleri, pour la garniture

VARIANTE
Vous pouvez remplacer le céleri et les pommes de terre par du céleri-rave et des patates douces.

1 Chauffez l'huile dans une cocotte. Ajoutez le céleri, l'oignon et le poireau. Couvrez et cuisez 10 min à feu doux, en remuant régulièrement.

2 Incorporez le curry et prolongez la cuisson 2 min, en tournant de temps en temps.

3 Ajoutez les pommes de terre, le bouillon et le bouquet garni, couvrez et portez à ébullition. Laissez mijoter 20 min environ, jusqu'à ce que les légumes soient tendres mais ne se défassent pas.

4 Ôtez le bouquet garni et laissez la soupe refroidir légèrement.

5 Passez la soupe au mixer en plusieurs fois.

6 Ajoutez les herbes aromatiques, assaisonnez et mixez brièvement. Remettez la soupe dans la casserole et réchauffez-la à feu doux jusqu'à ce qu'elle soit très chaude. Répartissez-la dans des assiettes, puis garnissez d'1 pincée de graines de céleri et de quelques feuilles de céleri.

SOUPE DE POMMES DE TERRE AUX ORTIES

*Cette soupe rustique, inspirée
d'une classique soupe de pommes
de terre irlandaise, peut se préparer
avec des orties ou avec le cœur
bien pommé d'une laitue.*

INGRÉDIENTS

Pour 4 personnes

450 g/1 lb de pommes de terre
  coupées en morceaux
25 g/1 oz d'orties
450 g/1 lb d'oignons émincés
115 g/4 oz/½ tasse de beurre
750 ml/1¼ pintes/3 tasses de
  bouillon de volaille
1 petit bouquet de ciboulette ciselée
sel et poivre noir fraîchement moulu
crème fraîche, pour la garniture

2 Enfilez des gants de caoutchouc
et retirez la tige des orties. Lavez
les feuilles à l'eau froide courante,
puis essuyez avec du papier absorbant. Placez-les dans la casserole
et prolongez la cuisson 5 min.

3 Passez la soupe au mixer, puis
transférez-la dans la casserole et
assaisonnez-la bien. Incorporez
la ciboulette, et servez dans des
assiettes avec une volute de crème
fraîche et 1 pincée de poivre.

1 Mettez le beurre à fondre dans
une grande casserole et ajoutez
les oignons. Couvrez et faites cuire
5 min environ, afin qu'ils soient juste
tendres. Incorporez les pommes de
terre ainsi que le bouillon. Couvrez
et laissez mijoter 25 min.

CONSEIL
Vous pouvez également
détailler les légumes en tout petits
morceaux et vous épargner
ainsi de passer la soupe au mixer.

SOUPE DE PANAIS AU GINGEMBRE

Revigorante, cette soupe s'illustre par la note épicée que lui confère le gingembre frais.

INGRÉDIENTS

Pour 4 à 6 personnes

675 g/1½ lb/5 tasses de panais grossièrement hachés

25 g/1 oz de gingembre frais pelé et finement haché

30 ml/2 c. à soupe d'huile d'olive

225 g/8 oz/2 tasses de poireaux émincés

300 ml/½ pinte/1¼ tasses de vin blanc sec

1,2 l/2 pintes/5 tasses de bouillon de légumes ou d'eau

sel et poivre noir fraîchement moulu fromage blanc et paprika, pour la garniture

1 Chauffez l'huile dans une cocotte et faites revenir les poireaux et le gingembre 2 à 3 min, afin que les poireaux commencent à fondre.

2 Ajoutez les panais et prolongez la cuisson 7 à 8 min, jusqu'à ce qu'ils deviennent tendres.

3 Mouillez avec le vin et le bouillon ou l'eau, et portez à ébullition. Baissez le feu et laissez mijoter 20 à 30 min, jusqu'à ce que les légumes soient cuits.

4 Passez les légumes au mixer. Assaisonnez, puis réchauffez la soupe. Servez-la garnie d'une volute de fromage blanc et d'un soupçon de paprika.

SOUPE DE PETITS POIS AUX ÉPINARDS

Cette appétissante soupe verte, mise au point au XVIIᵉ siècle en Angleterre, est toujours très appréciée.

INGRÉDIENTS

Pour 6 personnes

450 g/1 lb/3 tasses de petits pois
   frais écossés ou de petits
   pois surgelés
50 g/2 oz d'épinards frais hachés
1 poireau finement émincé
2 gousses d'ail écrasées
2 tranches de bacon
   finement émincées
1,2 l/2 pintes/5 tasses de bouillon
   de porc ou de volaille
30 ml/2 c. à soupe d'huile d'olive
40 g/1¹/₂ oz/¹/₃ tasse de chou blanc
   finement émincé
¹/₂ petite laitue finement émincée
1 branche de céleri finement hachée
1 poignée de persil ciselé
quelques feuilles de moutarde
   et de cresson
20 ml/4 c. à thé de menthe
   fraîche hachée
1 pincée de macis moulu
sel et poivre noir fraîchement moulu

1 Réunissez les petits pois, le poireau, l'ail et le bacon dans une grande casserole. Mouillez avec le bouillon, portez à ébullition, puis baissez le feu et laissez mijoter 20 min.

2 Environ 5 min avant que les légumes soient complètement cuits, chauffez l'huile dans une sauteuse.

3 Ajoutez les épinards, le chou, la laitue, le céleri et les herbes dans la sauteuse. Couvrez et faites cuire à petit feu.

4 Passez la préparation à base de petits pois au mixer. Incorporez la purée obtenue aux légumes cuits et réchauffez le tout. Assaisonnez la soupe de macis, de sel et de poivre, et servez.

SOUPE DE CAROTTES ÉPICÉE AUX CROÛTONS

V

*La soupe de carottes s'agrémente
ici d'une pointe de coriandre,
de cumin et de piment en poudre.*

INGRÉDIENTS

Pour 6 personnes
675 g/1½ lb/3¾ tasses de
carottes émincées
5 ml/1 c. à thé de chacune des
épices suivantes moulues :
coriandre, cumin et piment
15 ml/1 c. à soupe d'huile d'olive
1 gros oignon haché
900 ml/1½ pintes/3¾ tasses de
bouillon de légumes
sel et poivre noir fraîchement moulu
brins de coriandre fraîche,
pour la garniture

Pour les croûtons à l'ail
un peu d'huile d'olive
2 gousses d'ail écrasées
4 tranches de pain sans la croûte,
détaillées en dés d'1 cm/½ po

1 Chauffez l'huile dans une grande casserole et faites revenir l'oignon et les carottes 5 min à feu doux, en remuant de temps en temps. Ajoutez les épices et laissez cuire 1 min, en tournant.

2 Versez le bouillon, portez à ébullition, puis couvrez et laissez frémir environ 45 min, jusqu'à ce que les carottes soient tendres.

3 Pendant ce temps, préparez les croûtons. Chauffez l'huile dans une poêle et faites revenir l'ail 30 s en remuant. Ajoutez les dés de pain, enduisez-les bien d'huile et faites-les frire quelques minutes à feu moyen, en remuant souvent, jusqu'à ce qu'ils soient dorés et croustillants. Égouttez les croûtons sur du papier absorbant et gardez-les au chaud.

4 Passez la soupe au mixer, puis assaisonnez-la. Remettez-la dans la casserole et réchauffez-la à feu doux. Servez la soupe bien chaude, garnie de croûtons à l'ail et de brins de coriandre fraîche.

SOUPE DE CAROTTES ET DE POMME AU CURRY

La combinaison des carottes,
du curry et de la pomme est
ici très réussie.

INGRÉDIENTS

Pour 4 personnes

500 g/1¼ lb de carottes émincées
1 pomme à cuire hachée
15 ml/1 c. à soupe de curry
   en poudre
10 ml/2 c. à thé d'huile de tournesol
1 gros oignon haché
750 ml/1¼ pintes/3 tasses de
   bouillon de volaille
sel et poivre noir fraîchement moulu
yaourt nature et carotte en julienne,
   pour la garniture

1 Chauffez l'huile dans une grande casserole à fond épais et faites revenir le curry 2 à 3 min.

2 Ajoutez les carottes, l'oignon et la pomme. Remuez bien pour les enduire de curry, puis couvrez la casserole.

3 Faites cuire 15 min à feu doux, en remuant de temps en temps. Passez les légumes au mixer avec la moitié du bouillon.

4 Remettez la soupe dans la casserole et incorporez le reste de bouillon. Portez à ébullition et rectifiez l'assaisonnement. Répartissez la soupe dans des assiettes, puis garnissez-les d'une volute de yaourt et de julienne de carotte.

SOUPE AU POTIRON

V

La saveur douce du potiron agrémente délicatement les soupes. Pour un parfum plus prononcé, faites griller les morceaux de potiron avant de les incorporer.

INGRÉDIENTS

Pour 4 à 6 personnes

675 g/1½ lb de potiron coupé en
   gros morceaux
15 ml/1 c. à soupe d'huile
   de tournesol
25 g/1 oz/2 c. à soupe de beurre
1 gros oignon émincé
450 g/1 lb de pommes de
   terre émincées
600 ml/1 pinte/2½ tasses de
   bouillon de légumes
1 généreuse pincée de muscade
   fraîchement râpée
5 ml/1 c. à thé d'estragon
   frais haché
600 ml/1 pinte/2½ tasses de lait
5 à 10 ml/1 à 2 c. à thé de jus
   de citron
sel et poivre noir fraîchement moulu

1 Chauffez l'huile et le beurre dans une casserole à fond épais et faites revenir l'oignon 4 à 5 min à feu doux, sans le faire brunir, en remuant fréquemment.

2 Ajoutez le potiron et les pommes de terre. Mélangez bien, puis couvrez et faites cuire 10 min environ à feu doux, en tournant de temps en temps, jusqu'à ce que les légumes soient presque tendres.

3 Incorporez le bouillon, la muscade, l'estragon, du sel et du poivre Portez à ébullition, puis laissez mijoter 10 min environ, afin que les légumes soient cuits.

4 Laissez refroidir légèrement, puis passez les légumes au mixer. Remettez la soupe dans la casserole et versez le lait. Réchauffez doucement, ajoutez le jus de citron, puis goûtez et rectifiez l'assaisonnement si nécessaire. Servez la soupe bien chaude.

⟦V⟧ SOUPE DE POIVRONS ET DE PATATES DOUCES

Cette soupe à la somptueuse couleur ravira les yeux autant que le palais.

INGRÉDIENTS

Pour 6 personnes

2 poivrons rouges (225 g/8 oz environ) épépinés et coupés en dés

500 g/1¼ lb de patates douces coupées en dés

1 oignon grossièrement haché

2 belles gousses d'ail grossièrement hachées

300 ml/½ pinte/1¼ tasses de vin blanc sec

1,2 l/2 pintes/5 tasses de bouillon de légumes

Tabasco, selon le goût

sel et poivre noir fraîchement moulu

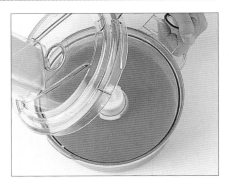

1 Réservez une petite quantité de dés de poivrons pour la garniture. Mettez le reste dans une casserole avec les patates douces, l'oignon, l'ail, le vin blanc et le bouillon. Portez à ébullition, puis baissez le feu et laissez mijoter 30 min, jusqu'à ce que les légumes soient presque tendres.

2 Passez les légumes au mixer. Assaisonnez de sel, de poivre et de quelques gouttes de Tabasco. Laissez refroidir légèrement, puis garnissez avec les dés de poivron réservés. Servez la soupe chaude ou à température ambiante.

SOUPE DE PATATES DOUCES ET DE PANAIS

V

La douceur de ces deux légumes racines est parfaitement mise en valeur dans cette succulente soupe.

INGRÉDIENTS

Pour 6 personnes

450 g/1 lb de patates douces coupées en dés

225 g/8 oz/1¹/₂ tasses de panais coupés en dés

15 ml/1 c. à soupe d'huile de tournesol

1 gros poireau émincé

2 branches de céleri hachées

900 ml/1¹/₂ pintes/3³/₄ tasses de bouillon de légumes

sel et poivre noir fraîchement moulu

15 ml/1 c. à soupe de persil frais haché et quelques copeaux de patate douce et de panais grillés au four, pour la garniture

1 Chauffez l'huile dans une grande casserole et faites revenir le poireau, le céleri, les patates douces et les panais 5 min environ à feu doux, en remuant de temps en temps pour éviter que les légumes n'attachent.

2 Mouillez avec le bouillon et portez à ébullition, puis couvrez et laissez mijoter 25 min environ, en remuant de temps en temps, jusqu'à ce que les légumes soient tendres. Assaisonnez. Retirez la casserole du feu et laissez la soupe refroidir un peu.

3 Passez la soupe au mixer, puis remettez-la dans la casserole afin de la réchauffer doucement. Répartissez la soupe dans des assiettes chaudes. Garnissez de persil frais, et de copeaux de patate douce et de panais grillés.

SOUPE DE LÉGUMES RACINES

Cette soupe chaleureuse comporte un assortiment de légumes racines d'hiver, dont une pointe de crème fraîche accroît l'onctuosité.

INGRÉDIENTS

Pour 6 personnes

3 carottes moyennes hachées
1 grosse pomme de terre hachée
1 gros panais haché
1 gros navet ou 1 petit
 rutabaga haché
1 oignon haché
30 ml/2 c. à soupe d'huile
 de tournesol
25 g/1 oz/2 c. à soupe de beurre
1,5 l/2½ pintes/6¼ tasses d'eau
1 morceau de gingembre frais pelé
 et râpé
300 ml/½ pinte/1¼ tasses de lait
45 ml/3 c. à soupe de crème fraîche
 ou de fromage frais
30 ml/2 c. à soupe d'aneth
 frais haché
15 ml/1 c. à soupe de jus de citron
sel et poivre noir fraîchement moulu
brins d'aneth frais, pour la garniture

1 Réunissez les carottes, la pomme de terre, le panais, le navet ou le rutabaga et l'oignon dans une grande casserole, avec l'huile et le beurre. Faites revenir doucement, puis couvrez et faites suer les légumes 15 min à feu doux, en tournant de temps en temps.

2 Versez l'eau, portez à ébullition et assaisonnez bien. Couvrez et laissez mijoter 20 min, jusqu'à ce que les légumes soient tendres.

3 Égouttez les légumes et réservez l'eau de cuisson. Passez les légumes et le gingembre au mixer, puis remettez la purée obtenue dans la casserole. Ajoutez le lait et réchauffez doucement la soupe en remuant.

4 Hors du feu, incorporez la crème fraîche ou le fromage frais, ainsi que l'aneth et le jus de citron. Salez et poivrez. Réchauffez la soupe, sans la faire bouillir, puis servez-la garnie de brins d'aneth.

SOUPE DE POIREAUX AU THYM

*Cette soupe nourrissante peut
se servir passée ou non, comme ici,
pour garder un bel aspect rustique.*

INGRÉDIENTS

Pour 4 personnes

900 g/2 lb de poireaux
450 g/1 lb de pommes de terre
1 gros brin de thym frais, plus un
   peu pour la garniture (facultatif)
115 g/4 oz/½ tasse de beurre
300 ml/½ pinte/1¼ tasses de lait
sel et poivre noir fraîchement moulu
60 ml/4 c. à soupe de crème
   fraîche, pour la garniture

3 Faites fondre le beurre dans
une grande casserole, et ajoutez
les poireaux et le brin de thym.
Couvrez et faites cuire 4 à 5 min,
afin que les poireaux soient tendres.
Ajoutez les pommes de terre et
recouvrez d'eau. Couvrez et faites
cuire 30 min à feu doux.

4 Mouillez avec le lait et assaisonnez. Couvrez et prolongez la
cuisson 30 min, jusqu'à ce que
les pommes de terre se défassent
pour former une soupe agrémentée de morceaux.

5 Retirez le brin de thym (dont
les feuilles ont dû tomber dans la
soupe) et servez la soupe garnie
d'15ml/1 c. à soupe de crème
fraîche et, éventuellement, d'un
peu de thym.

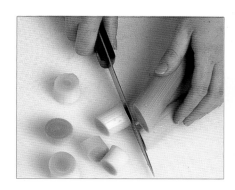

1 Éliminez les extrémités des
poireaux. Si vous utilisez de gros
poireaux d'hiver, retirez les feuilles
extérieures, puis coupez les poireaux en tronçons. Lavez-les bien
à l'eau froide.

2 Détaillez les pommes de terre en
dés de 2,5 cm/1 po environ et
essuyez-les avec du papier absorbant.

POTAGE DE CHAMPIGNONS AUX FINES HERBES

Ne vous inquiétez pas si ce potage n'est pas parfaitement lisse : sa consistance est son meilleur atout.

INGRÉDIENTS

Pour 4 personnes

350 g/12 oz de champignons sauvages ou un mélange de champignons sauvages et de Paris

30 ml/2 c. à soupe de mélange d'herbes aromatiques fraîches hachées (sauge, romarin, thym et marjolaine, par exemple) ou 10 ml/2 c. à thé d'herbes séchées

50 g/2 oz de poitrine fumée

1 oignon haché

600 ml/1 pinte/2½ tasses de bouillon de viande

30 ml/2 c. à soupe de xérès doux

sel et poivre noir fraîchement moulu

quelques brins de sauge ou de marjolaine fraîches et 60 ml/4 c. à soupe de yaourt à la grecque ou de crème fraîche, pour la garniture

1 Hachez grossièrement la poitrine fumée et mettez dans une cocotte. Faites-la revenir doucement jusqu'à ce qu'elle perde sa graisse.

2 Ajoutez l'oignon et laissez-le fondre dans la graisse. Nettoyez les champignons, puis hachez-les grossièrement et incorporez-les dans la cocotte. Couvrez et faites suer jusqu'à ce qu'ils aient complètement perdu leur eau.

3 Incorporez le bouillon, le xérès, les herbes aromatiques et l'assaisonnement, puis couvrez et laissez mijoter 10 à 12 min. Passez la soupe au mixer (elle ne sera pas parfaitement lisse).

4 Vérifiez l'assaisonnement, puis réchauffez le tout. Servez la soupe dans des assiettes chaudes. Garnissez d'1 cuillerée de yaourt ou de crème fraîche et d'1 brin de sauge ou de marjolaine fraîches.

SOUPE DE CHAMPIGNONS ET DE CÉLERI À L'AIL

INGRÉDIENTS

Pour 4 personnes

350 g/12 oz/4½ tasses de champignons de Paris hachés

4 branches de céleri hachées

3 gousses d'ail

45 ml/3 c. à soupe de xérès sec ou de vin blanc

750 ml/1¼ pintes/3 tasses de bouillon de volaille

30 ml/2 c. à soupe de sauce Worcestershire

5 ml/1 c. à thé de muscade fraîchement râpée

sel et poivre noir fraîchement moulu

feuilles de céleri, pour la garniture

1 Réunissez les champignons, le céleri et l'ail dans une casserole et mouillez avec le xérès ou le vin. Couvrez et faites cuire 30 à 40 min à feu doux, jusqu'à ce que les légumes soient tendres.

2 Versez la moitié du bouillon et passez le tout au mixer. Remettez la soupe dans la casserole, puis incorporez le reste du bouillon, la sauce Worcestershire et la muscade.

3 Portez à ébullition et assaisonnez. Servez la soupe bien chaude, garnie de feuilles de céleri.

V

SOUPE DE CHAMPIGNONS AU PERSIL

Épaissie avec du pain, cette onctueuse soupe de champignons saura vous réchauffer. Elle constitue un excellent déjeuner.

INGRÉDIENTS

Pour 8 personnes

900 g/2 lb de champignons sauvages émincés

60 ml/4 c. à soupe de persil frais haché

75 g/3 oz/6 c. à soupe de beurre doux

2 oignons grossièrement hachés

600 ml/1 pinte/2½ tasses de lait

8 tranches de pain de mie

300 ml/½ pinte/1¼ tasses de crème fraîche

sel et poivre noir fraîchement moulu

1 Chauffez le beurre et faites revenir les champignons et les oignons 10 min, sans les laisser brunir. Mouillez avec le lait.

2 Coupez le pain en morceaux et mettez-le dans la casserole. Laissez tremper 15 min. Passez le tout au mixer et replacez dans la casserole. Ajoutez 45ml/3 c. à soupe de persil, la crème et l'assaisonnement. Réchauffez sans faire bouillir. Servez la soupe garnie du reste de persil.

SOUPE À L'OIGNON ET À LA PANCETTA

Cette recette en provenance d'Ombrie est parfois épaissie à l'œuf battu et au parmesan. On la sert alors chaude sur du pain grillé.

INGRÉDIENTS

Pour 4 personnes

675 g/1½ lb d'oignons finement émincés

115 g/4 oz de *pancetta* en tranches, découennée et grossièrement hachée

30 ml/2 c. à soupe d'huile d'olive

15 g/½ oz/1 c. à soupe de beurre

10 ml/2 c. à thé de sucre

1,2 l/2 pintes/5 tasses de bouillon de volaille

350 g/12 oz de tomates roma mûres, pelées et grossièrement hachées

quelques feuilles de basilic frais ciselées

sel et poivre noir fraîchement moulu

parmesan râpé, pour l'accompagnement

1 Mettez la *pancetta* à chauffer dans une grande sauteuse, sur feu doux, sans cesser de remuer, jusqu'à ce qu'elle perde sa graisse. Augmentez le feu, ajoutez l'huile, le beurre, les oignons et le sucre, et mélangez bien.

2 Couvrez partiellement la sauteuse et faites cuire les oignons 20 min environ, jusqu'à ce qu'ils soient dorés. Remuez fréquemment et baissez le feu si nécessaire.

3 Incorporez ensuite le bouillon, les tomates, le sel et le poivre, et portez à ébullition, en remuant. Baissez le feu, couvrez partiellement et laissez mijoter 30 min environ, en tournant de temps en temps.

4 Vérifiez la consistance de la soupe et mouillez avec un peu de bouillon ou d'eau si elle est trop épaisse.

5 Juste avant de servir, ajoutez presque tout le basilic et rectifiez l'assaisonnement. Servez la soupe bien chaude, garnie du reste de basilic. Proposez le parmesan râpé dans un bol à part.

CONSEIL

Utilisez de préférence des oignons vidalia pour préparer cette soupe ; leur saveur douce et leur belle chair jaune apporteront une note raffinée.

SOUPE DE TOMATES ÉPICÉE

Pour commencer un repas d'hiver, la soupe de tomates est une valeur sûre. Délicieusement épicée, celle-ci remportera tous les suffrages.

INGRÉDIENTS

Pour 4 personnes

675 g/1½ lb de tomates
30 ml/2 c. à soupe de coriandre
  fraîche hachée
30 ml/2 c. à soupe d'huile végétale
1 feuille de laurier
4 oignons nouveaux hachés
5 ml/1 c. à thé de sel
2.5 ml/½ c. à thé d'ail écrasé
5 ml/1 c. à thé de grains de
  poivre noir
750 ml/1¼ pintes/3 tasses d'eau
15 ml/1 c. à soupe de Maïzena
30 ml/2 c. à soupe de crème
  fleurette, pour la garniture

CONSEIL

Si les seules tomates disponibles
sont pâles et peu mûres, ajoutez
15ml/1 c. à soupe de concentré de
tomates. Celui-ci rehaussera
la couleur et le goût de la soupe.

1 Pour peler les tomates, plongez-les dans de l'eau très chaude, puis retirez-les presque aussitôt à l'aide d'une écumoire. La peau devrait se détacher très facilement. Quand elles sont pelées, hachez-les grossièrement.

2 Dans une casserole, chauffez l'huile et faites revenir quelques minutes les tomates, le laurier et les oignons nouveaux, sans les laisser brunir.

3 Incorporez peu à peu le sel, l'ail, le poivre et la coriandre, puis terminez par l'eau.

4 Portez à ébullition, puis baissez le feu et laissez mijoter 15 à 20 min. Pendant ce temps, délayez la Maïzena dans un peu d'eau froide et réservez.

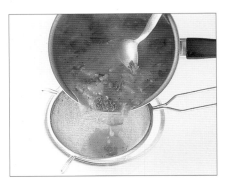

5 Retirez la soupe du feu et passez-la au tamis dans une jatte. Éliminez les légumes restés dans le tamis.

6 Remettez la soupe dans la casserole. Ajoutez la Maïzena délayée et remuez environ 3 min à feu doux, jusqu'à épaississement.

7 Répartissez la soupe dans des assiettes et servez-la très chaude, garnie d'une volute de crème.

SOUPE DE TOMATES AU VERMICELLE

*Le vermicelle est légèrement
frit avant d'être incorporé
à cette savoureuse soupe.*

INGRÉDIENTS

Pour 4 personnes

450 g/1 lb de tomates pelées,
épépinées et grossièrement
hachées
50 g/2 oz/$\frac{1}{3}$ tasse de vermicelle
30 ml/2 c. à soupe d'huile d'olive
1 oignon grossièrement haché
1 gousse d'ail hachée
1 l/1$\frac{3}{4}$ pintes/4 tasses de bouillon
de volaille
1.5 ml/$\frac{1}{4}$ c. à thé de sucre
15 ml/1 c. à soupe de coriandre
fraîche ciselée, plus un peu pour
la garniture
sel et poivre noir fraîchement moulu
25 g/1 oz/$\frac{1}{3}$ tasse de parmesan
râpé, pour l'accompagnement

1 Chauffez l'huile dans une poêle
et faites dorer le vermicelle à feu
moyen. Veillez à ne pas le laisser
brûler.

2 Hors du feu, retirez le vermicelle avec une écumoire et égouttez-le sur du papier absorbant.
Réservez.

3 Passez les tomates, l'oignon et
l'ail au mixer. Remettez la poêle sur
le feu et, quand l'huile est chaude,
ajoutez la purée de tomates. Faites
cuire environ 5 min sans cesser de
remuer, jusqu'à épaississement.

4 Transférez la purée dans une
casserole. Ajoutez le vermicelle et
le bouillon. Assaisonnez de sucre,
de sel et de poivre. Incorporez
1 cuillerée à soupe de coriandre,
portez à ébullition, puis baissez le
feu. Couvrez et laissez mijoter jusqu'à ce que le vermicelle soit tendre.

5 Servez la soupe dans des
assiettes chaudes, et garnissez
de coriandre ciselée. Présentez à
part un bol de parmesan.

SOUPE DE TOMATES À LA CORIANDRE

*Simple et rapide à préparer,
cette soupe de tomates ne
tardera pas à devenir l'une
de vos recettes préférées.*

INGRÉDIENTS

Pour 4 personnes

900 g/2 lb de tomates pelées,
épépinées et hachées
2 gros brins de coriandre fraîche
15 ml/1 c. à soupe d'huile de maïs
ou d'arachide
1 oignon finement haché
475 ml/16 oz/2 tasses de bouillon
de volaille
sel et poivre noir fraîchement moulu
poivre noir grossièrement moulu,
pour la garniture

1 Chauffez l'huile dans une grande
casserole et faites fondre l'oignon
5 min environ à feu doux, en
remuant fréquemment, jusqu'à ce
qu'il soit transparent.

2 Ajoutez les tomates, le bouillon
et la coriandre. Portez à ébullition,
puis baissez le feu, couvrez et
laissez mijoter 15 min à feu doux,
jusqu'à ce que les tomates soient
tendres.

3 Retirez les brins de coriandre.
Passez la soupe au tamis et remettez-la dans la casserole rincée.
Assaisonnez et réchauffez. Servez
la soupe saupoudrée de poivre noir.

SOUPE DE BROCOLIS AU PAIN

Les brocolis — qui poussent en abondance aux alentours de Rome — entrent dans la composition de nombreuses soupes italiennes.

INGRÉDIENTS
Pour 6 personnes
675 g/1½ lb de brocolis
1,75 l/3 pintes/7½ tasses de
bouillon de volaille ou de légumes
15 ml/1 c. à soupe de jus de citron
sel et poivre noir fraîchement moulu
Pour la garniture
6 tranches de pain de mie
1 grosse gousse d'ail coupée
en deux
parmesan râpé (facultatif)

1 Avec un petit couteau tranchant, pelez les tiges des brocolis, en commençant par la base (la peau devrait se détacher aisément). Hachez les brocolis en petits morceaux.

2 Portez le bouillon à ébullition dans une grande casserole. Mettez les brocolis à mijoter 10 min, jusqu'à ce qu'ils soient tendres.

3 Passez la moitié de la préparation au mixer et incorporez-la au reste. Assaisonnez de sel, de poivre et de jus de citron.

4 Réchauffez cette soupe. Faites griller le pain, frottez-le d'ail et coupez-le en quartiers. Disposez 3 à 4 triangles de pain dans chaque assiette et versez la soupe dessus. Servez immédiatement, éventuellement accompagné de parmesan.

SOUPE DE TOMATES AU PAIN

Cette recette florentine à la couleur vive présente l'avantage d'utiliser du pain rassis. On peut la faire avec des tomates fraîches très mûres ou des tomates en conserve.

INGRÉDIENTS
Pour 4 personnes
675 g/1½ lb de tomates mûres
pelées et hachées
175 g/6 oz/1½ tasses de pain
rassis coupé en dés de 2,5 cm/1 po
90 ml/6 c. à soupe d'huile d'olive
1 petit morceau de piment séché
émietté (facultatif)
1 oignon moyen finement haché
2 gousses d'ail finement hachées
45 ml/3 c. à soupe de basilic
frais haché
1,5 l/2½ pintes/6¼ tasses de
bouillon de viande léger
ou d'eau, ou un mélange des deux
sel et poivre noir fraîchement moulu
huile d'olive vierge extra,
pour la garniture (facultatif)

1 Chauffez 60 ml/4 c. à soupe d'huile dans une grande casserole. Mettez le piment, éventuellement, et remuez 1 à 2 min. Ajoutez les dés de pain et faites-les dorer avant de les égoutter sur du papier absorbant.

2 Ajoutez le reste de l'huile, l'oignon et l'ail, et faites revenir jusqu'à ce que l'oignon fonde. Incorporez les tomates, le basilic et les dés de pain. Salez et laissez mijoter 15 min à feu moyen, en remuant régulièrement.

3 Dans le même temps, chauffez le bouillon (ou l'eau) jusqu'à ce qu'il frémisse. Versez-le sur la préparation à base de tomates et mélangez. Portez à ébullition, puis baissez le feu et laissez mijoter 20 min.

4 Retirez la casserole du feu. À l'aide d'une fourchette, écrasez les tomates et le pain. Poivrez et rajoutez du sel, si nécessaire. Laissez reposer 10 min. Juste avant de servir la soupe, arrosez éventuellement les assiettes d'un filet d'huile d'olive vierge extra.

SOUPE DE LENTILLES À L'AIL

Riches en fibres, les lentilles se prêtent très bien aux soupes. À la différence des autres légumes secs, elles n'ont pas besoin d'être trempées avant utilisation.

INGRÉDIENTS

Pour 6 personnes

225 g/8 oz/1 tasse de lentilles orange rincées et égouttées
2 grosses gousses d'ail finement hachées
2 oignons finement hachés
1 carotte finement hachée
30 ml/2 c. à soupe d'huile d'olive
2 feuilles de laurier
1 généreuse pincée de marjolaine ou d'origan séché(e)
1,5 l/2½ pintes/6¼ tasse de bouillon de légumes
30 ml/2 c. à soupe de vinaigre de vin rouge
sel et poivre fraîchement moulu
feuilles de céleri, pour la garniture

1 Réunissez tous les ingrédients, sauf le vinaigre et l'assaisonnement, dans une grande casserole à fond épais. Portez à ébullition à feu moyen, puis baissez le feu et laissez mijoter 1 h 30, en remuant de temps en temps pour éviter que les lentilles n'attachent au fond.

2 Retirez les feuilles de laurier, puis incorporez le vinaigre, le sel et le poivre. Si la soupe est trop épaisse, ajoutez un peu de bouillon ou d'eau. Servez la soupe dans des assiettes chaudes et garnissez de feuilles de céleri. Accompagnez-la de pain frais croustillant.

CONSEIL

Si vous achetez des lentilles en vrac, n'oubliez pas de les trier dans une passoire, puis de les rincer.

SOUPE DE LENTILLES AUX ÉPICES

Un subtil mélange d'épices donne tout son cachet à cette soupe. Accompagnez-la de pain frais pour en faire un déjeuner sain et nourrissant.

INGRÉDIENTS

Pour 6 personnes

225 g/8 oz/1 tasse de lentilles orange rincées et égouttées
2.5 ml/½ c. à thé de curcuma moulu
5 ml/1 c. à thé de cumin moulu
6 gousses de cardamome
½ bâton de cannelle
2 oignons finement hachés
2 gousses d'ail écrasées
4 tomates grossièrement hachées
900 ml/1½ pintes/3¾ tasses d'eau
400 ml/14 oz/1⅔ tasses de lait de coco
15 ml/1 c. à soupe de jus de citron vert
sel et poivre fraîchement moulu
graines de cumin, pour la garniture

1 Mettez les oignons, l'ail, les tomates, les épices, les lentilles et l'eau dans une casserole. Portez à ébullition, puis baissez le feu, couvrez et laissez mijoter 20 min jusqu'à ce que les lentilles soient tendres.

2 Retirez la cardamome et la cannelle, puis passez la soupe au mixer. Filtrez-la et remettez-la dans la casserole.

3 Réservez un peu de lait de coco pour la garniture et ajoutez le reste dans la casserole, avec le jus de citron vert. Remuez bien et assaisonnez. Réchauffez doucement sans faire bouillir. Incorporez le lait de coco réservé, garnissez de graines de cumin et servez la soupe bien chaude.

SOUPE ÉPICÉE DE L'INDE DU SUD

Cette préparation est idéale pour réchauffer vos soirées d'hiver. Présentez-la avec les épices entières ou bien passez-la et réchauffez-la. Ajoutez le jus de citron à votre convenance, tout en sachant que cette soupe est résolument acidulée.

INGRÉDIENTS

Pour 2 à 4 personnes

30 ml/2 c. à soupe d'huile végétale
2.5 ml/½ c. à thé de poivre noir fraîchement moulu
5 ml/1 c. à thé de graines de cumin
2.5 ml/½ c. à thé de graines de moutarde
2 pincées d'*assa-fœtida* en poudre
4 à 6 feuilles de curry
2.5 ml/½ c. à thé de curcuma moulu
2 piments rouges séchés entiers
2 gousses d'ail écrasées
300 ml/½ pinte/1¼ tasses de jus de tomates
le jus de 2 citrons
120 ml/4 oz/½ tasse d'eau
sel
feuilles de coriandre fraîche hachées, pour la garniture

REMARQUE

L'*assa-fœtida* est une poudre à l'odeur puissante utilisée pour rehausser les plats indiens. À l'état pur, son parfum peut être très désagréable, mais il disparaît vite à la cuisson.

1 Dans une sauteuse, chauffez l'huile, puis faites revenir les épices, l'ail et les piments jusqu'à ce que ceux-ci soient presque noirs et l'ail bien doré.

2 Baissez le feu et ajoutez le jus de tomates, le jus de citron, l'eau et le sel. Portez à ébullition, puis laissez mijoter 10 min. Garnissez la soupe de feuilles de coriandre hachées et servez-la brûlante.

SOUPE ÉPICÉE AUX CACAHUÈTES

INGRÉDIENTS

Pour 6 personnes

90 ml/6 c. à soupe de beurre de
  cacahuètes (avec des morceaux)
30 ml/2 c. à soupe d'huile
1 gros oignon finement haché
2 gousses d'ail écrasées
5 ml/1 c. à thé de piment doux
  en poudre
2 poivrons rouges épépinés
  et hachés
225 g/8 oz de pommes de
  terre hachées
225 g/8 oz de carottes hachées
3 branches de céleri émincées
900 ml/1½ pintes/3¾ tasses de
  bouillon de légumes
115 g/4 oz/⅔ tasse de maïs doux
sel et poivre fraîchement moulu
cacahuètes grillées non salées,
  grossièrement hachées,
  pour la garniture

1 Chauffez l'huile dans une grande casserole, et faites revenir l'oignon et l'ail 3 min. Incorporez le piment et prolongez la cuisson 1 min.

2 Ajoutez les poivrons, les pommes de terre, les carottes et le céleri. Mélangez bien, puis laissez cuire 4 min, en remuant de temps en temps.

3 Mouillez avec le bouillon, puis incorporez le beurre de cacahuètes et le maïs. Remuez bien.

4 Salez et poivrez généreusement. Portez à ébullition, puis couvrez et laissez mijoter 20 min, jusqu'à ce que tous les légumes soient tendres. Rectifiez l'assaisonnement, puis servez la soupe garnie de cacahuètes hachées.

SOUPE DE CRABE AU MAÏS

*Il est indispensable d'utiliser
de la crème de maïs doux pour
obtenir la consistance désirée.*

INGRÉDIENTS

Pour 4 personnes

115 g/4 oz de chair de crabe
225 g/8 oz de crème de maïs doux
2.5 ml/½ c. à thé de gingembre
  frais finement haché
15 ml/1 c. à soupe de Maïzena
30 ml/2 c. à soupe de lait
2 blancs d'œufs
600 ml/1 pinte/2½ tasses de
  bouillon de légumes
sel et poivre fraîchement moulu
oignons nouveaux hachés,
  pour la garniture

3 Chauffez le bouillon dans un wok ou une grande casserole. Ajoutez la crème de maïs, puis portez à ébullition.

4 Incorporez la préparation aux œufs et au crabe, rectifiez l'assaisonnement et remuez doucement pour mélanger le tout. Servez la soupe garnie d'oignons nouveaux.

1 Émiettez la chair de crabe et mélangez-la au gingembre haché dans un bol. Dans un autre récipient, délayez la Maïzena et le lait.

2 Battez les blancs d'œufs jusqu'à ce qu'ils soient mousseux, ajoutez le lait et la Maïzena délayée, puis mélangez de nouveau. Incorporez cette préparation à la chair de crabe.

VARIANTE
Vous pouvez remplacer
la chair de crabe par du blanc de
poulet grossièrement haché.

SOUPE DE RAVIOLIS CHINOIS

INGRÉDIENTS

Pour 4 personnes

24 carrés de pâte à *wontons*
(raviolis chinois) prête à l'emploi

175 g/6 oz de porc
grossièrement haché

50 g/2 oz de crevettes décortiquées,
finement hachées

5 ml/1 c. à thé de sucre roux

15 ml/1 c. à soupe de vin de riz
chinois ou de xérès sec

30 ml/2 c. à soupe de sauce de
soja claire

5 ml/1 c. à thé d'oignons nouveaux
finement hachés

5 ml/1 c. à thé de gingembre frais
finement haché

750 ml/1¼ pintes/3 tasses de
bouillon

oignons nouveaux finement hachés,
pour la garniture

1 Dans un bol, mélangez le porc, les crevettes, le sucre, le vin de riz ou le xérès, 1 cuillerée à soupe de sauce de soja, les oignons nouveaux et le gingembre. Laissez macérer 25 à 30 min.

2 Déposez 5 ml/1 c. à thé du mélange au centre de chaque carré de pâte à *wontons.*

3 Humidifiez les bords de chaque *wonton* fourré avec un peu d'eau et pressez-les avec les doigts pour les souder. Repliez la pointe.

4 Dans un wok, portez le bouillon à ébullition. Mettez les *wontons* à cuire 4 à 5 min. Assaisonnez du reste de sauce de soja et ajoutez les oignons nouveaux.

5 Répartissez la soupe dans des bols avant de la servir.

Soupes rustiques
et nourrissantes

SOUPE DE LÉGUMES D'HIVER

INGRÉDIENTS
Pour 8 personnes
   1 chou de Milan moyen coupé
      en quartiers
   4 carottes finement émincées
   2 branches de céleri
      finement émincées
   2 panais coupés en dés
   3 pommes de terre moyennes
      coupées en dés
   2 courgettes émincées
   1 petit poivron rouge épépiné
      et coupé en dés
   115 g/4 oz/2 tasses chou-fleur en
      petits bouquets
   2 tomates épépinées et coupées en dés
   30 ml/2 c. à soupe d'huile de maïs
   1,5 l/2½ pintes/6¼ tasses de
      bouillon de volaille
   2,5 ml/½ c. à thé de thym frais
      ou 2 pincées de thym séché
   30 ml/2 c. à soupe de persil
      frais haché
   sel et poivre fraîchement moulu

1 À l'aide d'un couteau tranchant, émincez finement les quartiers de chou.

2 Chauffez l'huile dans une grande casserole. Ajoutez le chou, les carottes, le céleri et les panais, et faites cuire 10 à 15 min à feu moyen, en remuant fréquemment.

3 Mouillez avec le bouillon, puis portez à ébullition, en écumant la surface.

4 Incorporez les pommes de terre, les courgettes, le poivron, le chou-fleur, les tomates et les herbes aromatiques. Assaisonnez. Portez de nouveau à ébullition, puis baissez le feu, couvrez et laissez mijoter 15 à 20 min, jusqu'à ce que les légumes soient tendres. Servez la soupe bien chaude.

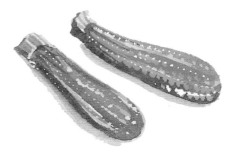

POTAGE DE LÉGUMES AUX FINES HERBES

V

INGRÉDIENTS

Pour 4 personnes

1 oignon finement émincé
1 poireau finement émincé
1 branche de céleri coupée en dés
1 poivron jaune ou vert épépiné
  et coupé en dés
350 g/12 oz de pommes de terre
  coupées en dés
115 g/4 oz/1 tasse de jeunes
  haricots plats d'Espagne finement
  émincés dans la diagonale
30 ml/2 c. à soupe de persil
  frais haché
15ml/1 c. à soupe de farine
1,2 l/2 pintes/5 tasses de bouillon
  de légumes
25 g/1 oz/2 c. à soupe de beurre
quelques brins de thym frais ou
  2,5 ml/½ c. à thé de thym séché
1 feuille de laurier
120 ml/4 oz/½ tasse de lait
sel et poivre fraîchement moulu

1 Faites fondre le beurre dans une cocotte et ajoutez l'oignon, le poireau, le céleri, le poivron et le persil. Couvrez et laissez cuire à feu doux jusqu'à ce que les légumes soient tendres.

2 Incorporez la farine et mélangez. Mouillez progressivement avec le bouillon. Portez à ébullition en remuant fréquemment.

3 Ajoutez les pommes de terre, le thym et le laurier. Laissez mijoter 10 min environ à découvert.

4 Incorporez les haricots et prolongez la cuisson 10 à 15 min, jusqu'à ce que tous les légumes soient tendres.

5 Versez le lait, puis assaisonnez et réchauffez. Avant de servir, ôtez le thym et le laurier. Servez la soupe bien chaude.

[V] SOUPE DE LÉGUMES À LA CRÈME DE COCO

INGRÉDIENTS

Pour 4 personnes

175 g/6 oz de chacun des légumes
    suivants coupés en dés : navet,
    patate douce et potiron
25 g/1 oz de crème de coco
25 g/1 oz/2 c. à soupe de beurre ou
    de margarine
½ oignon rouge finement émincé
5 ml/1 c. à thé de marjolaine séchée
2.5 ml/½ c. à thé de gingembre
   en poudre
2 pincées de cannelle en poudre
15 ml/1 c. à soupe d'oignon
    nouveau émincé
1 l/1¾ pintes/4 tasses de bouillon
    de légumes parfumé
30 ml/2 c. à soupe
    d'amandes effilées
1 piment frais épépiné et haché
5 ml/1 c. à thé de sucre
sel et poivre fraîchement moulu
coriandre fraîche hachée,
    pour la garniture (facultatif)

1 Faites fondre le beurre ou la margarine dans une cocotte. Mettez à revenir l'oignon rouge 4 à 5 min, puis ajoutez les dés de légumes et poursuivez la cuisson 3 à 4 min.

2 Incorporez la marjolaine, le gingembre, la cannelle, l'oignon nouveau, le sel et le poivre. Faites mijoter environ 10 min à feu doux, en remuant fréquemment.

3 Ajoutez le bouillon, les amandes, le piment et le sucre. Mélangez bien. Couvrez et laissez cuire à feu doux 10 à 15 min, jusqu'à ce que les légumes soient juste tendres.

4 Râpez la crème de coco dans la soupe et tournez. Répartissez la soupe dans des assiettes chaudes. Garnissez éventuellement de coriandre fraîche, puis servez.

SOUPE DE FÈVES AU RIZ

V

Cette soupe épaisse met bien en valeur les fèves fraîches de saison. On peut toutefois la préparer aussi avec des fèves surgelées.

INGRÉDIENTS

Pour 4 personnes

1 kg/2¼ lb de fèves dans leurs cosses ou 400 g/14 oz de fèves écossées surgelées et décongelées

225 g/8 oz/1 tasse de riz à grains ronds, type *arborio* ou un autre riz non précuit

90 ml/6 c. à soupe d'huile d'olive

1 oignon moyen finement émincé

2 tomates moyennes pelées et hachées

25 g/1 oz/2 c. à soupe de beurre

1 l/1¾ pintes/4 tasse d'eau bouillante

sel et poivre fraîchement moulu

parmesan râpé, pour la garniture (facultatif)

1 Portez une grande casserole d'eau à ébullition et faites blanchir les fèves 3 à 4 min. Rincez-les à l'eau froide. Si vous utilisez des fèves fraîches, écossez-les.

2 Chauffez l'huile dans une grande casserole. Mettez l'oignon à cuire à feu doux jusqu'à ce qu'il soit tendre. Incorporez les fèves et laissez-les mijoter 5 min, en remuant pour les enduire d'huile.

3 Assaisonnez. Ajoutez les tomates et prolongez la cuisson 5 min. Mettez le riz et faites cuire encore 1 à 2 min, sans cesser de tourner.

4 Incorporez le beurre et remuez jusqu'à ce qu'il soit fondu. Mouillez peu à peu d'eau. Rectifiez l'assaisonnement et prolongez la cuisson afin que le riz soit tendre. Servez éventuellement avec du parmesan.

SOUPE DE TOMATES FRAÎCHES AUX HARICOTS

INGRÉDIENTS
Pour 4 personnes
- 900 g/2 lb de tomates roma mûres
- 425 g/15 oz de haricots blancs en conserve, rincés et égouttés
- 30 ml/2 c. à soupe d'huile d'olive
- 275 g/10 oz d'oignons grossièrement émincés
- 2 gousses d'ail écrasées
- 900 ml/1½ pintes/3¾ tasses de bouillon de légumes
- 30 ml/2 c. à soupe de purée de tomates séchées
- 10 ml/2 c. à thé de paprika
- 15 ml/1 c. à soupe de Maïzena
- 30 ml/2 c. à soupe de coriandre fraîche hachée
- sel et poivre fraîchement moulu
- pain aux olives, pour l'accompagnement (facultatif)

2 Égouttez les tomates et, quand elles ont suffisamment refroidi, pelez-les. Coupez-les ensuite en 8 quartiers.

3 Chauffez l'huile dans une grande casserole, puis faites fondre les oignons et l'ail 3 min.

1 Pelez les tomates. Pour cela, incisez une petite croix sur chacune d'elles et mettez-les dans une jatte. Couvrez-les d'eau bouillante et laissez reposer 30 à 60 s.

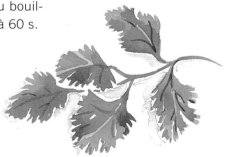

4 Ajoutez les tomates, puis le bouillon, la purée de tomates séchées et le paprika. Assaisonnez légèrement. Portez à ébullition et laissez mijoter 10 min.

5 Délayez la Maïzena dans 30 ml/2 c. à soupe d'eau. Incorporez-la dans la soupe avec les haricots. Prolongez la cuisson 5 min.

6 Rectifiez l'assaisonnement et ajoutez la coriandre hachée juste avant de servir. Accompagnez éventuellement la soupe de pain aux olives.

SOUPE DE CHOU-FLEUR AU FENOUIL

La saveur douce et anisée des graines de fenouil parfume cette soupe campagnarde.

INGRÉDIENTS

Pour 4 à 6 personnes

1 chou-fleur détaillé en petits bouquets
10 ml/2 c. à thé de graines de fenouil
15 ml/1 c. à soupe d'huile d'olive
1 gousse d'ail écrasée
1 oignon finement émincé
2 boîtes de 400 g/14 oz de flageolets égouttés et rincés
1,2 l/2 pintes/5 tasses de bouillon de légumes ou d'eau
sel et poivre fraîchement moulu
persil frais haché, pour la garniture
pain grillé, pour l'accompagnement

3 Portez à ébullition, puis baissez le feu et laissez mijoter environ 10 min, jusqu'à ce que le chou-fleur soit tendre. Passez la soupe au mixer.

4 Incorporez le reste des flageolets et assaisonnez. Réchauffez la soupe et répartissez-la dans des assiettes chaudes. Saupoudrez de persil et servez avec des tranches de pain grillé.

1 Chauffez l'huile, et faites revenir l'ail, l'oignon et les graines de fenouil 5 min à feu doux.

2 Ajoutez le chou-fleur, la moitié des flageolets, ainsi que le bouillon ou l'eau.

SOUPE DE BETTERAVE AUX HARICOTS BLANCS

Cette soupe est une version simplifiée du bortsch qui se prépare en un rien de temps. Servez-la avec une cuillerée de crème fraîche et un peu de persil haché.

INGRÉDIENTS

Pour 4 personnes

- 250 g/9 oz de betterave cuite râpée
- 400 g/14 oz de haricots de Lima en conserve, rincés et égouttés
- 30 ml/2 c. à soupe d'huile végétale
- 1 oignon moyen émincé
- 5 ml/1 c. à thé de graines de carvi
- le zeste finement râpé d'$\frac{1}{2}$ orange
- 1,2 l/2 pintes/5 tasses de bouillon de bœuf ou de *rassol (voir Conseil)*
- 15 ml/1 c. à soupe de vinaigre de vin rouge
- 60 ml/4 c. à soupe de crème fraîche
- 60 ml/4 c. à soupe de persil frais haché, pour la garniture

1 Chauffez l'huile dans une grande casserole et faites revenir l'oignon, les graines de carvi et le zeste d'orange, sans les laisser brunir.

REMARQUE

Le *rassol* est un bouillon de betterave utilisé pour sa couleur et son goût puissant. Vous pouvez en trouver dans les boutiques de produits casher.

2 Ajoutez la betterave râpée, le bouillon ou le *rassol,* les haricots et le vinaigre, et laissez mijoter 10 min à feu doux.

3 Répartissez la soupe dans des assiettes. Incorporez dans chacune 1 cuillerée de crème fraîche, saupoudrez de persil haché et servez.

SOUPE ÉPICÉE DE HARICOTS SECS

Cette soupe épaisse à l'arôme de cumin se compose de deux variétés de haricots secs.

INGRÉDIENTS

Pour 6 à 8 personnes

175 g/6 oz/1 tasse de haricots noirs secs, ayant trempé toute la nuit dans de l'eau et égouttés
175 g/6 oz/1 tasse de haricots rouges secs, ayant trempé toute la nuit dans de l'eau et égouttés
2 feuilles de laurier
90 ml/6 c. à soupe de gros sel
30 ml/2 c. à soupe d'huile d'olive ou d'une autre huile végétale
3 carottes finement émincées
1 oignon finement émincé
1 branche de céleri
1 gousse d'ail écrasée
5 ml/1 c. à thé de cumin moulu
1,5 à 2,5 ml/$1/4$ à $1/2$ c. à thé de piment de Cayenne
2,5 ml/$1/2$ c. à thé d'origan séché
50 ml/2 oz/$1/4$ tasse de vin rouge
1,2 l/2 pintes/5 tasses de bouillon de bœuf
250 ml/8 oz/1 tasse d'eau
sel et poivre fraîchement moulu
crème fraîche et coriandre fraîche hachée, pour la garniture

3 Chauffez l'huile dans une grande cocotte et faites cuire les carottes, l'oignon, le céleri et l'ail 8 à 10 min à feu doux, en remuant, afin que les légumes s'attendrissent. Incorporez le cumin, le piment, l'origan et le sel.

4 Mouillez avec le vin, le bouillon et l'eau, et mélangez bien. Ôtez les feuilles de laurier des haricots et mettez ceux-ci dans la cocotte.

5 Portez à ébullition, puis baissez le feu. Couvrez et laissez mijoter 20 min, en remuant de temps en temps.

6 Passez la moitié de la soupe (avec presque tous les solides) au mixer. Remettez dans la casserole et mélangez bien.

7 Réchauffez le tout et rectifiez l'assaisonnement. Servez la soupe bien chaude, garnie de crème fraîche et de coriandre hachée.

1 Mettez les haricots noirs et rouges dans 2 casseroles différentes. Couvrez-les d'eau froide et ajoutez 1 feuille de laurier. Faites cuire 10 min à gros bouillons, puis couvrez et laissez mijoter 20 min.

2 Ajoutez 45 ml/3 c. à soupe de gros sel dans chaque casserole et cuisez encore 30 min, afin que les haricots soient tendres. Égouttez.

SOUPE BICOLORE AUX DEUX HARICOTS

Bien que cette soupe soit un peu longue à préparer, le résultat est vraiment spectaculaire.

INGRÉDIENTS
Pour 8 personnes

350 g/12 oz/2 tasses de haricots noirs secs, ayant trempé toute la nuit dans de l'eau et égouttés

350 g/12 oz/2 tasses de haricots blancs secs, ayant trempé toute la nuit dans de l'eau et égouttés

2,4 l/4¼ pintes/10½ tasses d'eau

6 gousses d'ail écrasées

90 ml/6 c. à soupe de vinaigre balsamique

4 piments *jalapeño* épépinés et hachés

6 oignons nouveaux finement émincés

le jus d'1 citron vert

50 ml/2 oz/¼ tasse d'huile d'olive

15 g/½ oz/¼ tasse de coriandre fraîche hachée, plus un peu pour la garniture

sel et poivre fraîchement moulu

1 Mettez les haricots noirs dans une casserole avec la moitié de l'eau et de l'ail. Portez à ébullition, puis baissez le feu, couvrez et laissez mijoter environ 1 h 30, jusqu'à ce qu'ils soient tendres.

2 Dans le même temps, mettez les haricots blancs dans une autre casserole avec le reste d'eau et d'ail. Portez à ébullition, puis baissez le feu, couvrez et laissez mijoter environ 1 h afin qu'ils soient tendres.

3 Passez les haricots blancs cuits au mixer. Incorporez le vinaigre, les piments et la moitié des oignons. Remettez le tout dans la casserole et réchauffez doucement.

4 Mixez les haricots noirs cuits, puis remettez-les dans leur casserole et incorporez le jus de citron, l'huile d'olive, la coriandre et le reste des oignons. Réchauffez doucement.

5 Salez et poivrez les 2 soupes. Versez 1 louche de chaque soupe dans chaque assiette, côte à côte. Faites-les s'imbriquer légèrement à l'aide d'une pique à cocktail. Garnissez de coriandre fraîche et servez aussitôt.

V

SOUPE AU PISTOU

Le secret de cette délicieuse soupe est le pistou qui lui donne sa saveur.

INGRÉDIENTS

Pour 4 personnes

60 à 90 ml/4 à 6 c. à soupe de pistou, fait maison ou en bocal

1 courgette coupée en dés

1 petite pomme de terre coupée en dés

1 échalote finement émincée

1 carotte coupée en dés

225 g/8 oz de tomates concassées en conserve

1,2 l/2 pintes/5 tasses de bouillon de légumes

50 g/2 oz de haricots verts coupés en tronçons d'1 cm/$1/2$ po

50 g/2 oz/$1/2$ tasse de petits pois surgelés

50 g/2 oz/$1/2$ tasse de petites pâtes

15 ml/1 c. à soupe de purée de tomates séchées

sel et poivre noir fraîchement moulu parmesan râpé, pour l'accompagnement

1 Dans une grande casserole, réunissez la courgette, la pomme de terre, l'échalote, la carotte et les tomates. Versez le bouillon et assaisonnez. Portez à ébullition, couvrez et laissez mijoter 20 min.

2 Ajoutez les haricots verts, les petits pois et les pâtes. Prolongez la cuisson de 10 min, jusqu'à ce que les pâtes soient tendres.

3 Goûtez et rectifiez l'assaisonnement si nécessaire. Répartissez la soupe dans des assiettes. Dans un bol, mélangez le pistou avec la purée de tomates séchées. Incorporez-en 1 cuillerée dans chaque assiette.

4 Présentez le parmesan râpé dans un bol à part.

RIBOLLITA

V

La ribollita ressemble au minestrone, mais elle contient des haricots au lieu de pâtes. En Italie, on la sert traditionnellement sur du pain et un légume vert sauté, mais cette garniture peut être omise pour une version plus légère.

INGRÉDIENTS

Pour 6 à 8 personnes

45 ml/3 c. à soupe d'huile d'olive
2 oignons finement émincés
2 carottes émincées
4 gousses d'ail écrasées
2 branches de céleri
    finement émincées
1 bulbe de fenouil finement émincé
2 belles courgettes finement émincées
400 g/14 oz de tomates concassées
    en conserve
30 ml/2 c. à soupe de *pesto,*
    fait maison ou en bocal
900 ml/1½ pintes/3¾ tasses de
    bouillon de légumes
400 g/14 oz de haricots blancs
    en conserve, égouttés
sel et poivre noir fraîchement moulu

Pour l'accompagnement

450 g/1 lb de jeunes épinards
15 ml/1 c. à soupe d'huile d'olive
    vierge extra, plus un peu pour
    la garniture
6 à 8 tranches de pain de mie
copeaux de parmesan (facultatif)

1 Chauffez l'huile dans une grande casserole et faites revenir les oignons, les carottes, l'ail, le céleri et le fenouil 10 min à feu doux. Ajoutez les courgettes et prolongez la cuisson 2 min.

2 Incorporez les tomates, le *pesto,* le bouillon et les haricots. Portez à ébullition, puis baissez le feu, couvrez et laissez mijoter 25 à 30 min, jusqu'à ce que tous les légumes soient tendres. Assaisonnez à votre goût.

3 Au moment de servir, faites revenir les épinards 2 min dans l'huile. Disposez-les sur 1 tranche de pain au fond de chaque assiette, puis versez la soupe sur les épinards. Servez la *ribollita* avec un filet d'huile d'olive et, éventuellement, un peu de parmesan.

SOUPE DE BANANES PLANTAIN

Ici, la saveur sucrée de la banane plantain et du maïs est relevée par un peu de piment.

INGRÉDIENTS

Pour 4 personnes

275 g/10 oz de bananes plantain
   pelées et émincées
25 g/1 oz/2 c. à soupe de beurre ou
   de margarine
1 oignon finement émincé
1 gousse d'ail écrasée
1 grosse tomate pelée et émincée
175 g/6 oz/1 tasse de maïs doux
   en grains
5 ml/1 c. à thé d'estragon
   séché, émietté
900 ml/1½ pintes/3¾ tasses de
   bouillon de légumes ou de volaille
1 piment vert frais épépiné
   et haché
1 pincée de muscade
   fraîchement râpée
sel et poivre noir fraîchement moulu

1 Chauffez le beurre ou la margarine dans une casserole à feu moyen et faites revenir l'oignon et l'ail quelques minutes.

2 Ajoutez les bananes plantain, la tomate et le maïs, et prolongez la cuisson 5 min.

3 Incorporez l'estragon, le bouillon, le piment, le sel et le poivre, puis laissez mijoter 10 min, jusqu'à ce que la banane soit tendre. Ajoutez la muscade et servez la soupe immédiatement.

SOUPE D'ARACHIDES

Les arachides (ou cacahuètes) entrent dans la composition de nombreuses sauces africaines. On trouve de la pâte d'arachides dans les magasins de produits diététiques, mais on peut lui substituer du beurre de cacahuètes.

INGRÉDIENTS

Pour 4 personnes

45 ml/3 c. à soupe de pâte
   d'arachides ou de beurre
   de cacahuètes
1,5 l/2½ pintes/6¼ tasses de
   bouillon de légumes ou d'eau
30 ml/2 c. à soupe de concentré
   de tomates
1 oignon haché
2 tranches de gingembre frais
2 pincées de thym séché
1 feuille de laurier
piment en poudre
225 g/8 oz d'igname blanche
   coupée en dés
10 petits gombos équeutés (facultatif)
sel

1 Mettez la pâte d'arachides ou le beurre de cacahuètes dans une jatte, ajoutez 300 ml/½ pinte/1¼ tasses de bouillon (ou d'eau) et le concentré de tomates, et mélangez le tout.

2 Transférez la préparation dans une cocotte, puis incorporez l'oignon, le gingembre, le thym, le laurier, le piment, le sel et le reste de bouillon.

3 Chauffez à petit feu jusqu'à frémissement, puis laissez mijoter 1 h, en fouettant de temps en temps pour éviter que la soupe n'attache.

4 Ajoutez l'igname et prolongez la cuisson 10 min. Incorporez les gombos, le cas échéant, et laissez mijoter jusqu'à ce qu'ils soient tendres. Servez la soupe aussitôt.

V

SOUPE ITALIENNE À LA ROQUETTE

*À défaut de roquette, le cresson
ou les pousses d'épinards feront
parfaitement l'affaire.*

INGRÉDIENTS
Pour 4 personnes

900 g/2 lb de pommes de terre
nouvelles coupées en dés
900 ml/1½ pintes/3¾ tasses de
bouillon de légumes bien parfumé
1 carotte moyenne coupée en dés
115 g/4 oz de roquette
2,5 ml/½ c. à thé de piment
de Cayenne
½ *ciabatta* (pain italien) rassise
rompue en morceaux
4 gousses d'ail finement émincées
60 ml/4 c. à soupe d'huile d'olive
sel et poivre noir fraîchement moulu

3 Incorporez le piment de Cayenne,
le sel et le poivre, puis les morceaux de *ciabatta*. Retirez la casserole du feu, couvrez et laissez
reposer 10 min environ.

4 Pendant ce temps, faites dorer
l'ail dans l'huile d'olive. Répartissez la soupe dans des assiettes
chaudes, garnissez d'un peu d'ail
frit et servez.

1 Mettez les dés de pommes de
terre dans une casserole avec le
bouillon et du sel. Portez à ébullition et laissez mijoter 10 min.

2 Ajoutez les dés de carotte.
Déchirez les feuilles de roquette
et mettez-les dans la casserole.
Prolongez la cuisson 15 min, afin
que les légumes soient tendres.

SOUPE DE POISSON TCHÈQUE AUX BOULETTES

INGRÉDIENTS

Pour 4 à 8 personnes
675 g/1½ lb .de poissons variés,
 sans écailles ni arêtes, coupés
 en dés
3 tranches de poitrine fumée
 découennées et coupées
 en lardons
15 ml/1 c. à soupe de paprika,
 plus un peu pour la garniture
1,5 l/2½ pintes/6¼ tasses de
 fumet de poisson ou d'eau
3 tomates fermes pelées
 et finement émincées
4 pommes de terre pelées et râpées
5 à 10 ml/1 à 2 c. à thé de
 marjolaine fraîche hachée, plus un
 peu pour la garniture
Pour les boulettes
75 g/3 oz/½ tasse de semoule ou
 de farine
1 œuf battu
45 ml/3 c. à soupe de lait ou d'eau
1 généreuse pincée de sel
15 ml/1 c. à soupe de persil
 frais haché

1 Faites revenir les lardons dans une poêle jusqu'à ce qu'ils soient bien dorés, puis ajoutez le poisson. Laissez cuire 1 à 2 min, en veillant à ce que la chair ne se défasse pas.

2 Saupoudrez de paprika, puis versez le fumet ou l'eau, portez à ébullition et laissez mijoter 10 min.

3 Incorporez les tomates, les pommes de terre et la marjolaine. Prolongez la cuisson 10 min, en remuant fréquemment.

4 Confectionnez les boulettes. Mélangez tous les ingrédients, puis laissez reposer cette pâte 5 à 10 min sous un film plastique.

5 Déposez des petites boulettes de pâte dans la soupe et faites-les cuire 10 min. Servez la soupe bien chaude, garnie de paprika et de marjolaine.

SOUPE IRLANDAISE

Cette soupe appelée Yellow Broth
*en Irlande du Nord doit
sa consistance et son goût
à la farine d'avoine.*

INGRÉDIENTS

Pour 4 personnes
25 g/1 oz/2 c. à soupe de beurre
1 oignon finement émincé
1 branche de céleri
   finement émincée
1 carotte finement émincée
25 g/1 oz/¼ tasse de farine
900 ml/1½ pintes/3¾ tasses de
   bouillon de volaille
25 g/1 oz/¼ tasse de farine
   d'avoine moyenne
115 g/4 oz d'épinards hachés
30 ml/2 c. à soupe de crème fraîche
sel et poivre noir fraîchement moulu
persil frais haché, pour la garniture
   (facultatif)

1 Chauffez le beurre dans une grande casserole, puis faites revenir l'oignon, le céleri et la carotte 2 min, jusqu'à ce que l'oignon commence à fondre.

2 Incorporez la farine et prolongez la cuisson 1 min, sans cesser de remuer. Mouillez avec le bouillon, portez à ébullition et couvrez. Baissez le feu et laissez mijoter 30 min, afin que les légumes soient bien tendres.

3 Ajoutez la farine d'avoine et les épinards, et laissez cuire encore 15 min, en mélangeant de temps en temps.

4 Versez la crème fraîche et assaisonnez. Servez la soupe éventuellement garnie de persil frais.

SOUPE DE POIS CASSÉS ET DE POTIRON

V

Voici une variante végétarienne de la traditionnelle soupe de pois cassés.

INGRÉDIENTS

Pour 4 personnes
225 g/8 oz/1 tasse de pois cassés
225 g/8 oz de potiron émincé
1,2 l/2 pintes/5 tasses d'eau
25 g/1 oz/2 c. à soupe de beurre
1 oignon finement émincé
3 tomates pelées et émincées
5 ml/1 c. à thé d'estragon
  séché émietté
15 ml/1 c. à soupe de coriandre
  fraîche hachée
2,5 ml/½ c. à thé de cumin moulu
1 cube de bouillon de légumes émietté
piment en poudre, selon le goût
brins de coriandre fraîche,
  pour la garniture

1 Faites tremper les pois cassés toute la nuit dans de l'eau, puis égouttez-les. Mettez-les dans une grande casserole avec l'eau et faites bouillir 30 min environ, jusqu'à ce qu'ils soient tendres.

2 Dans une autre casserole, chauffez le beurre et faites revenir l'oignon, sans le laisser brunir.

3 Incorporez les tomates, le potiron, l'estragon, la coriandre, le cumin, le cube de bouillon et le piment. Portez à ébullition à feu vif.

4 Ajoutez le mélange de légumes aux pois cassés dans leur jus. Laissez mijoter 20 min à feu doux, jusqu'à ce que les légumes soient cuits. Si la soupe est trop épaisse, allongez-la avec 150 ml/¼ pinte/ ⅔ tasse d'eau. Servez-la bien chaude, garnie de coriandre fraîche.

SOUPE DE LENTILLES VERTES

V

La soupe de lentilles, diversement épicée selon sa région d'origine, est un grand classique de la cuisine méditerranéenne et orientale. On peut parfaitement remplacer les lentilles vertes utilisées ici par des lentilles orange ou du Puy.

INGRÉDIENTS

Pour 4 à 6 personnes

225 g/8 oz/1 tasse de lentilles vertes
75 ml/5 c. à soupe d'huile d'olive
3 oignons finement émincés
2 gousses d'ail finement émincées
10 ml/2 c. à thé de graines de cumin écrasées
1,5 ml/¼ c. à thé de curcuma moulu
600 ml/1 pinte/2½ tasses de bouillon de légumes
600 ml/1 pinte/2½ tasses d'eau
sel et poivre noir fraîchement moulu
30 ml/2 c. à soupe de coriandre fraîche grossièrement hachée, pour la garniture

1 Mettez les lentilles dans une casserole et couvrez d'eau froide. Portez à ébullition et faites cuire 10 min à gros bouillons. Égouttez.

2 Chauffez 30ml/2 c. à soupe d'huile dans une sauteuse et faites revenir 2 oignons, l'ail, le cumin et le curcuma 3 min, en remuant. Ajoutez les lentilles, le bouillon et l'eau. Portez à ébullition, puis baissez le feu, couvrez et laissez mijoter 30 min afin d'attendrir les lentilles.

3 Chauffez le reste d'huile et faites revenir le troisième oignon, en remuant fréquemment.

4 Écrasez légèrement les lentilles au presse-purée pour obtenir une soupe onctueuse. Réchauffez à feu doux et assaisonnez.

5 Répartissez la soupe dans des assiettes, et garnissez d'un peu de mélange de coriandre fraîche et d'oignon sauté. Accompagnez-la d'un bon pain de campagne.

REMARQUE

Vous n'avez pas besoin de faire tremper les lentilles dans de l'eau avant de les cuire.

SOUPE DE LENTILLES AU ROMARIN

Originaire d'Italie, cette soupe rustique parfumée au romarin est délicieuse avec du pain à l'ail.

INGRÉDIENTS

Pour 4 personnes

225 g/8 oz/1 tasse de lentilles vertes ou brunes

2 brins de romarin frais finement hachés

45 ml/3 c. à soupe d'huile d'olive vierge extra

3 tranches de poitrine fumée, découennées et coupées en lardons

1 oignon finement émincé

2 branches de céleri finement émincées

2 carottes finement émincées

2 feuilles de laurier

400 g/14 oz de tomates roma

1,75 l/3 pintes/7½ tasses de bouillon de légumes

sel et poivre noir fraîchement moulu

feuilles de laurier et brins de romarin frais, pour la garniture

1 Rincez bien les lentilles, puis égouttez-les.

2 Chauffez l'huile dans une cocotte et faites revenir les lardons 3 min, puis mettez l'oignon à cuire 5 min. Ajoutez le céleri, les carottes, le romarin, le laurier et les lentilles. Remuez pendant 1 min afin de bien les enduire d'huile.

3 Incorporez les tomates et le bouillon, et portez à ébullition. Baissez le feu, couvrez partiellement et laissez mijoter environ 1 h, jusqu'à ce que les légumes soient parfaitement tendres.

4 Ôtez les feuilles de laurier, assaisonnez et servez la soupe garnie de feuilles de laurier fraîches et de brins de romarin.

CONSEIL

Vous trouverez des petites lentilles vertes dans les épiceries fines ou chez les traiteurs italiens.

SOUPE DE LENTILLES AUX PÂTES

*Cette soupe, accompagnée
de pain aux céréales,
constitue un repas complet.*

INGRÉDIENTS
Pour 4 à 6 personnes
175 g/6 oz/$^3/_4$ tasse de
   lentilles brunes
50 g/2 oz/$^1/_2$ tasse de petites pâtes
3 gousses d'ail
1 l/1$^3/_4$ pintes/4 tasses d'eau
45 ml/3 c. à soupe d'huile d'olive
25 g/1 oz/2 c. à soupe de beurre
1 oignon finement émincé
2 branches de céleri
   finement émincées
30 ml/2 c. à soupe de purée de
   tomates séchées
1,75 l/3 pintes/7$^1/_2$ tasses de
   bouillon de légumes
quelques feuilles de marjolaine
   fraîche, plus un peu pour
   la garniture
quelques feuilles de basilic frais
les feuilles d'1 brin de thym frais
sel et poivre noir fraîchement moulu

1 Mettez les lentilles dans une grande casserole. Écrasez 1 gousse d'ail (sans la peler) et ajoutez-la aux lentilles. Mouillez avec l'eau, portez à ébullition, puis baissez le feu et laissez frémir 20 min, en remuant de temps en temps, jusqu'à ce que les lentilles soient juste tendres.

2 Versez les lentilles dans une passoire, retirez la gousse d'ail et réservez-la.

3 Rincez les lentilles à l'eau froide, puis mettez-les à égoutter. Chauffez 30 ml/2 c. à soupe d'huile avec la moitié du beurre dans une sauteuse. Incorporez l'oignon et le céleri, et faites cuire 5 à 7 min à feu doux, en remuant fréquemment.

CONSEIL

On peut remplacer les lentilles brunes par des vertes, mais les variétés blondes ou orange ne conviennent pas car elles se réduisent trop facilement en purée.

4 Écrasez le reste de l'ail, puis pelez et hachez la gousse cuite réservée. Ajoutez-les aux légumes avec le reste d'huile, la purée de tomates séchées et les lentilles. Mélangez bien, puis incorporez le bouillon, les herbes, le sel et le poivre. Portez à ébullition en remuant. Laissez mijoter 30 min.

5 Ajoutez les pâtes et portez de nouveau à ébullition en tournant. Laissez mijoter 7 à 8 min (ou selon les instructions portées sur le paquet), jusqu'à ce que les pâtes soient *al dente*. Incorporez le reste de beurre et rectifiez l'assaisonnement. Servez la soupe dans des assiettes chaudes, en les garnissant de feuilles de marjolaine.

SOUPE DE TOMATES GRILLÉES AUX PÂTES

V

Cette soupe est idéale pour utiliser des tomates peu parfumées. Le fait de les passer au gril compense leur manque de saveur et confère un léger goût fumé à la soupe.

INGRÉDIENTS

Pour 4 personnes

450 g/1 lb de tomates roma mûres coupées en deux dans la longueur

90 g/3½ oz/1 tasse de petites pâtes (petits macaronis, par exemple)

1 gros poivron rouge coupé en quatre dans la longueur et épépiné

1 gros oignon rouge coupé en quatre dans la longueur

2 gousses d'ail non pelées

15 ml/1 c. à soupe d'huile d'olive

1,2 l/2 pintes/5 tasses de bouillon de légumes ou d'eau

1 généreuse pincée de sucre en poudre

sel et poivre noir fraîchement moulu

feuilles de basilic frais, pour la garniture

1 Préchauffez le four à 190 °C/ 375 °F. Disposez les tomates, le poivron, l'oignon et l'ail sur une plaque de four et arrosez-les d'huile. Enfournez les légumes 30 à 40 minutes, en les retournant à mi-cuisson, jusqu'à ce qu'ils soient tendres et noircis.

2 Passez les légumes au mixer avec environ 250 ml/8 oz/1 tasse de bouillon ou d'eau. Versez la purée dans un tamis placé au-dessus d'une grande casserole.

3 Ajoutez le reste de bouillon ou d'eau, le sucre, le sel et le poivre. Portez à ébullition.

4 Incorporez les pâtes et laissez mijoter 7 à 8 min (ou selon les instructions portées sur le paquet), en remuant fréquemment, jusqu'à ce qu'elles soient *al dente*. Goûtez et rectifiez l'assaisonnement si besoin est. Servez la soupe dans des assiettes chaudes, garnie de feuilles de basilic frais.

CONSEIL

On peut griller les légumes à l'avance, les laisser refroidir, puis les garder toute la nuit au réfrigérateur, dans un saladier couvert de film plastique.

PETITES PÂTES AU BOUILLON

En Italie, cette soupe est souvent servie avec du pain pour un dîner léger.

INGRÉDIENTS

Pour 4 personnes

1,2 l/2 pintes/5 tasses de bouillon de bœuf

75 g/3 oz/³/₄ tasse de petites pâtes à potage (étoiles, par exemple)

2 morceaux de poivron rouge grillé en bocal (environ 50 g/2 oz)

sel et poivre noir fraîchement moulu

parmesan râpé, pour l'accompagnement

1 Portez le bouillon à ébullition dans une grande casserole. Ajoutez le sel et le poivre, puis versez les pâtes. Mélangez bien et faites bouillir de nouveau.

2 Baissez le feu et laissez frémir 7 à 8 min (ou selon les instructions du paquet), jusqu'à ce que les pâtes soient *al dente*. Remuez souvent en cours de cuisson pour empêcher les pâtes de coller.

3 Égouttez les morceaux de poivron et détaillez-les en petits dés. Disposez-les au fond de 4 assiettes à soupe chaudes et réservez.

4 Goûtez le bouillon et rectifiez l'assaisonnement. Répartissez-le dans les assiettes et servez immédiatement, accompagné d'un bol de parmesan.

CAPPELLETTI AU BOUILLON

Cette soupe se déguste en Italie du Nord le jour de la Saint-Stéphane et le premier janvier. Elle constitue une agréable diversion aux plats de fête typiques de la saison. On la prépare traditionnellement avec la carcasse du chapon de Noël, mais un bon bouillon de volaille fera aussi bien l'affaire.

INGRÉDIENTS

Pour 4 personnes

1,2 l/2 pintes/5 tasses de bouillon de volaille

90 à 115 g/3¹/₂ à 4 oz/1 tasse de *cappelletti* frais ou secs

30 ml/2 c. à soupe de vin blanc sec (facultatif)

15 ml/1 c. à soupe de persil plat frais, finement haché

sel et poivre noir fraîchement moulu

environ 30 ml/2 c. à soupe de parmesan râpé, pour la garniture

1 Portez le bouillon à ébullition dans une grande casserole. Assaisonnez, puis versez les pâtes.

2 Remuez bien et faites bouillir de nouveau. Baissez le feu et laissez mijoter selon les instructions du paquet, jusqu'à ce que les pâtes soient *al dente* (la cuisson des pâtes fraîches est très rapide). Remuez fréquemment en cours de cuisson.

3 Incorporez le vin, le cas échéant, et le persil, puis goûtez et rectifiez l'assaisonnement. Répartissez le bouillon dans des assiettes chaudes, puis saupoudrez-le de parmesan. Servez immédiatement.

REMARQUE

Les *cappelletti* sont l'équivalent des *tortellini* de Romagne. On peut les acheter tout prêts ou les confectionner soi-même.

SOUPE DE PÂTES AUX LÉGUMINEUSES

Cette soupe rustique et simple, attirant l'œil par sa jolie combinaison de formes, peut constituer un repas complet.

INGRÉDIENTS

Pour 4 à 6 personnes

200 g/7 oz/2 tasses de *conchiglie* (pâtes en forme de gros coquillages)
400 g/14 oz de pois chiches en conserve, rincés et égouttés
200 g/7 oz de haricots blancs en conserve, rincés et égouttés
60 ml/4 c. à soupe d'huile d'olive
1 oignon haché
2 carottes finement émincées
2 branches de céleri finement émincées
150 ml/1/4 pinte/2/3 tasse de *passata* (purée de tomates)
120 ml/4 oz/1/2 tasse d'eau
1,5 l/2 1/2 pintes/6 1/4 tasses de bouillon de légumes ou de volaille
1 brin de romarin frais, plus quelques feuilles pour la garniture
sel et poivre noir fraîchement moulu
copeaux de parmesan, pour la garniture

1 Chauffez l'huile dans une grande casserole et faites cuire tous les légumes frais 5 à 7 min à feu doux, en remuant fréquemment.

2 Ajoutez les pois chiches et les haricots blancs, mélangez bien et poursuivez la cuisson 5 min. Incorporez la *passata* et l'eau, et faites mijoter encore 2 à 3 min.

3 Incorporez 475 ml/16 oz/2 tasses de bouillon, le romarin, le sel et le poivre. Portez à ébullition, puis couvrez et laissez cuire 1 h environ à feu doux, en tournant de temps en temps.

VARIANTE

Il est possible d'utiliser d'autres variétés de pâtes, mais la forme des *conchiglie* est parfaite pour contenir les haricots et les pois chiches. Vous pouvez aussi écraser 1 ou 2 gousse(s) d'ail et les faire revenir avec les légumes.

4 Versez le reste du bouillon et ajoutez les pâtes. Portez à ébullition, puis baissez le feu et laissez mijoter 7 à 8 min (ou selon les instructions du paquet), jusqu'à ce que les pâtes soient *al dente*. Retirez le brin de romarin. Servez la soupe garnie de romarin frais et de copeaux de parmesan.

SOUPE DE POIS CHICHES AU PERSIL

INGRÉDIENTS

Pour 6 personnes

225 g/8 oz/1⅓ tasses de pois
chiches ayant trempé toute la nuit
dans de l'eau

1 bouquet de persil frais
(40 g/1½ oz environ)

1 petit oignon

30 ml/2 c. à soupe d'un mélange
d'huiles d'olive et de tournesol

1,2 l/2 pintes/5 tasses de bouillon
de volaille

le jus d'½ citron

sel et poivre noir fraîchement moulu

quartiers de citron et zeste finement
râpé, pour la garniture

3 Chauffez le mélange d'huiles
dans une cocotte et faites revenir
l'oignon et le persil environ 4 min
à feu doux.

4 Ajoutez les pois chiches et laissez mijoter 1 à 2 min avant de
mouiller avec le bouillon. Assaisonnez bien, portez la soupe à
ébullition, puis couvrez et faites
cuire encore 20 min.

5 Laissez la soupe refroidir légèrement, puis écrasez les pois chiches
à la fourchette, pour obtenir une
consistance épaisse.

6 Réchauffez le tout et incorporez
le jus de citron. Servez la soupe
garnie de quartiers et de zeste
de citron.

1 Égouttez et rincez bien les pois
chiches. Faites-les cuire 1 h à 1 h 30
à l'eau bouillante, afin qu'ils soient
tendres. Égouttez-les et pelez-les.

2 Passez l'oignon pelé et le bouquet de persil au mixer.

⊡ V ⊡

SOUPE DE POIS CHICHES ET D'ÉPINARDS

INGRÉDIENTS

Pour 4 personnes

425 g/15 oz de pois chiches en conserve, rincés et égouttés
200 g/7 oz d'épinards hachés
30 ml/2 c. à soupe d'huile d'olive
4 gousses d'ail écrasées
1 oignon grossièrement haché
10 ml/2 c. à thé de cumin moulu
10 ml/2 c. à thé de coriandre moulue
1,2 l/2 pintes/5 tasses de bouillon de légumes
350 g/12 oz de pommes de terre finement émincées
15 ml/1 c. à soupe de Maïzena
150 ml/¼ pinte/⅔ tasse de crème fraîche
30 ml/2 c. à soupe de *tahini* léger
piment de Cayenne
sel et poivre noir fraîchement moulu

2 Incorporez le cumin et la coriandre, et prolongez la cuisson 1 min. Mettez le bouillon et les pommes de terre. Portez à ébullition et laissez mijoter 10 min.

3 Ajoutez les pois chiches et faites cuire encore 5 min, jusqu'à ce que les pommes de terre soient tendres.

4 Dans un bol, mélangez la Maïzena, la crème fraîche et le *tahini,* et assaisonnez généreusement. Incorporez le mélange dans la soupe avec les épinards. Portez à ébullition, en remuant, et laissez mijoter 2 min. Rectifiez l'assaisonnement et servez la soupe garnie d'un peu de piment de Cayenne.

1 Chauffez l'huile dans une grande casserole et faites revenir l'ail et l'oignon 5 min environ, jusqu'à ce que celui-ci soit bien doré.

REMARQUE

Le *tahini,* ou pâte de sésame, s'achète dans la plupart des magasins de produits diététiques.

SOUPE DES BALKANS AUX POIS CHICHES

V

Les pois chiches constituent un aliment de base des pays d'Europe de l'Est, d'où cette soupe économique, consistante et équilibrée, est originaire.

INGRÉDIENTS

Pour 4 à 6 personnes

500 g/1 1/4 lb/5 tasses de pois chiches ayant trempé toute la nuit dans de l'eau

2 l/3 1/2 pintes/9 tasses de bouillon de légumes

2 grosses pommes de terre coupées en morceaux

50 ml/2 oz/1/4 tasse d'huile d'olive

225 g/8 oz d'épinards

sel et poivre noir fraîchement moulu

saucisse épicée cuite (facultatif)

1 Égouttez les pois chiches et rincez-les à l'eau froide. Mettez-les dans une grande casserole avec le bouillon. Portez à ébullition, puis baissez le feu et laissez mijoter 1 h environ.

2 Ajoutez les pommes de terre, l'huile d'olive, le sel et le poivre. Prolongez la cuisson 20 min, jusqu'à ce que les pommes de terre soient tendres.

3 Incorporez les épinards et, éventuellement, la saucisse émincée 5 min avant la fin de la cuisson. Servez la soupe dans des assiettes creuses chaudes.

cut 1 above

SOUPE DE MAÏS AUX NOIX DE SAINT-JACQUES

Si le maïs frais est idéal pour cette recette, le maïs en conserve peut également convenir. Cette soupe constitue un délicieux déjeuner.

INGRÉDIENTS

Pour 4 à 6 personnes

2 épis de maïs doux ou 200 g/7 oz/
1 1/8 tasse de maïs en conserve
ou surgelé
4 noix de Saint-Jacques
600 ml/1 pinte/2 1/2 tasses de lait
15 g/1/2 oz de beurre ou
de margarine
1 petit poireau ou 1 oignon hachés
40 g/1 1/2 oz/1/4 tasse de lard fumé
finement haché
1 petite gousse d'ail écrasée
1 petit poivron vert épépiné
et coupé en dés
1 branche de céleri hachée
1 pomme de terre moyenne coupée
en dés
15 ml/1 c. à soupe de farine
300 ml/1/2 pinte/1 1/4 tasses de
bouillon de volaille ou de légumes
115 g/4 oz de moules fraîches cuites
1 pincée de paprika
150 ml/1/4 pinte/2/3 tasse de crème
fleurette (facultatif)
sel et poivre noir fraîchement moulu

1 À l'aide d'un couteau tranchant, détachez les grains de maïs des épis. Passez la moitié du maïs au mixer avec un peu de lait. Réservez l'autre moitié.

2 Chauffez le beurre ou la margarine dans une grande casserole et faites revenir le poireau ou l'oignon, le lard fumé et l'ail 4 à 5 min à feu doux, sans les laisser brunir. Ajoutez le poivron, le céleri et la pomme de terre, et laissez mijoter 3 à 4 min, toujours à feu doux, en remuant fréquemment.

3 Incorporez la farine et prolongez la cuisson d'1 à 2 min, jusqu'à ce que celle-ci dore et mousse. Ajoutez un peu de lait, le maïs mixé, le bouillon, le reste de lait, les grains de maïs et l'assaisonnement.

4 Portez à ébullition, puis couvrez partiellement et faites cuire 15 à 20 min, jusqu'à ce que les légumes soient tendres.

5 Après avoir retiré et réservé le corail, émincez les noix de Saint-Jacques en tranches de 5 mm/1/4 po. Mettez-les à cuire dans la soupe, 4 min, puis ajoutez le corail, les moules et le paprika. Réchauffez le tout quelques minutes et ajoutez éventuellement la crème fleurette.

SOUPE DE CLAMS

Cette soupe traditionnelle de la Nouvelle-Angleterre offre un onctueux mélange de porc et de clams, de pommes de terre et de crème fraîche.

INGRÉDIENTS

Pour 8 personnes

50 clams ou palourdes nettoyé(e)s
1,5 l/2½ pintes/6¼ tasses d'eau
40 g/1½ oz/¼ tasse de poitrine
  de porc ou de bacon
  finement émincé(e)
3 oignons moyens finement hachés
1 feuille de laurier
3 pommes de terre moyennes
  coupées en dés
475 ml/16 oz/2 tasses de lait chaud
250 ml/8 oz/1 tasse de
  crème fleurette
sel et poivre noir fraîchement moulu
persil frais haché, pour la garniture

1 Rincez bien les clams ou les palourdes à l'eau froide, puis égouttez-les. Mettez-les dans une grande casserole avec l'eau et portez à ébullition. Couvrez et laissez cuire 10 min environ, jusqu'à ce que les coquilles s'ouvrent. Retirez-les du feu.

2 Quand les coquillages ont légèrement refroidi, retirez-les de leurs coquilles. Jetez tous ceux qui sont restés fermés. Émincez grossièrement la chair. Passez l'eau de cuisson dans un tamis garni d'étamine et réservez-la.

3 Dans une grande cocotte, faites revenir le porc ou le bacon jusqu'à ce qu'il perde sa graisse et commence à brunir. Ajoutez les oignons et laissez mijoter 8 à 10 min sur feu doux.

4 Incorporez le laurier, les pommes de terre et l'eau de cuisson réservée. Portez à ébullition et faites cuire 5 à 10 min.

5 Ajoutez la chair des coquillages émincée et prolongez la cuisson jusqu'à ce que les pommes de terre soient tendres, en remuant de temps en temps. Assaisonnez.

6 Versez le lait chaud et la crème, et réchauffez le tout 5 min à feu doux. Ôtez la feuille de laurier, rectifiez l'assaisonnement et servez la soupe garnie de persil frais.

SOUPE DE MOULES ÉPICÉE

Haute en couleur, cette soupe turque est épicée à la harissa, un condiment originaire d'Afrique du Nord.

INGRÉDIENTS

Pour 6 personnes

   1,5 kg/3 à 3$^{1}/_{2}$ lb de moules fraîches
   7,5 ml/1$^{1}/_{2}$ c. à thé de harissa
   150 ml/$^{1}/_{4}$ pinte/$^{2}/_{3}$ tasse de vin
     blanc sec
   30 ml/2 c. à soupe d'huile d'olive
   1 oignon finement haché
   2 branches de céleri
     finement émincées
   2 gousses d'ail écrasées
   1 botte d'oignons nouveaux
     finement hachés
   1 pomme de terre coupée en dés
   3 tomates pelées et coupées en dés
   45 ml/3 c. à soupe de persil
     frais haché
   poivre noir fraîchement moulu
   yaourt nature, pour la garniture
     (facultatif)

1 Nettoyez les moules et jetez toutes celles qui sont abîmées ou qui ne se ferment pas quand on frappe la coquille avec un couteau.

2 Dans une grande casserole, portez le vin à ébullition. Ajoutez les moules et couvrez. Faites cuire 4 à 5 min, jusqu'à ce qu'elles soient grandes ouvertes. Éliminez celles qui sont restées fermées. Égouttez les moules et réservez le jus de cuisson. Conservez quelques moules dans leur coquille pour la garniture et ôtez les coquilles des autres.

3 Chauffez l'huile dans une poêle, et faites revenir l'oignon, le céleri, l'ail et les oignons nouveaux 5 min.

4 Ajoutez les moules, le jus de cuisson, la pomme de terre, la harissa et les tomates. Portez à ébullition, puis baissez le feu, couvrez et laissez mijoter 25 min à feu doux, jusqu'à ce que les pommes de terre se défassent.

5 Incorporez le persil et le poivre, et ajoutez les moules réservées. Réchauffez le tout 1 min. Servez la soupe chaude, éventuellement garnie d'1 cuillerée de yaourt.

SOUPE DE SAUMON AU CURRY

INGRÉDIENTS

Pour 4 personnes

450 g/1 lb de filet de saumon sans
la peau, coupé en morceaux
10 ml/2 c. à thé de pâte
de curry doux
50 g/2 oz/4 c. à soupe de beurre
225 g/8 oz d'oignons
grossièrement hachés
475 ml/16 oz/2 tasses d'eau
150 ml/¼ pinte/²/₃ tasse
de vin blanc
300 ml/½ pinte/1¼ tasses
de crème fraîche épaisse
50 g/2 oz/½ tasse de crème
de coco râpée
350 g/12 oz de pommes de terre
coupées en dés
60 ml/4 c. à soupe de persil plat
frais haché
sel et poivre noir fraîchement moulu

3 Incorporez les dés de pommes
de terre et laissez mijoter 15 min
environ à couvert, jusqu'à ce qu'ils
soient presque tendres. Ne les
laissez pas se défaire.

4 Ajoutez délicatement les morceaux de saumon, puis laissez
cuire 2 à 3 min. Incorporez le persil et rectifiez l'assaisonnement.
Servez la soupe immédiatement.

1 Chauffez le beurre dans une
grande casserole, ajoutez les
oignons et faites-les revenir 3 à
4 min à feu doux, jusqu'à ce qu'ils
commencent à fondre. Incorporez
la pâte de curry et prolongez la
cuisson d'1 min.

2 Versez l'eau, le vin, la crème
fraîche et la crème de coco. Salez
et poivrez. Portez à ébullition en
mélangeant, jusqu'à ce que la
crème de coco soit dissoute.

SOUPE DE SAUMON À L'ANETH

INGRÉDIENTS

Pour 4 personnes

450 g/1 lb de saumon sans arêtes
    ni peau, coupé en dés de 2 cm/³/₄ po
30 g/2 c. à soupe d'aneth
    frais haché
20 g/³/₄ oz/1¹/₂ c. à soupe de beurre
    ou de margarine
1 oignon finement haché
1 poireau finement haché
1 petit bulbe de fenouil
    finement haché
25 g/1 oz/¹/₄ tasse de farine
1,75 l/3 pintes/7¹/₂ tasses de fumet
    de poisson
2 pommes de terre moyennes
    coupées en dés d'1 cm/¹/₂ po
175 ml/6 oz/³/₄ tasse de lait
120 ml/4 oz/¹/₂ tasse de
    crème fleurette
sel et poivre noir fraîchement moulu

1 Faites fondre le beurre ou la margarine dans une grande casserole. Ajoutez l'oignon, le poireau et le fenouil, et faites revenir 5 à 8 min à feu moyen, en remuant de temps en temps.

2 Versez la farine. Baissez le feu et laissez cuire 3 min, en tournant régulièrement.

3 Ajoutez le fumet et les pommes de terre. Assaisonnez et portez à ébullition. Baissez le feu, couvrez et laissez mijoter 20 min environ, jusqu'à ce que les pommes de terre soient tendres.

4 Incorporez le saumon et poursuivez la cuisson 3 à 5 min à feu doux, jusqu'à ce qu'il soit juste cuit.

5 Ajoutez le lait, la crème fleurette et l'aneth. Réchauffez le tout sans faire bouillir. Rectifiez l'assaisonnement et servez la soupe.

SOUPE DE POMMES DE TERRE AU HADDOCK

Le véritable nom de cette soupe traditionnelle écossaise est Cullen Skink. Cullen *signifie « ville portuaire » et* skink *« bouillon ».*

INGRÉDIENTS
Pour 6 personnes
500 g/1¼ lb de pommes de terre coupées en quatre
1 haddock d'environ 350 g/12 oz
1 oignon haché
1 bouquet garni
900 ml/1½ pintes/3¾ tasses d'eau
600 ml/1 pinte/2½ tasses de lait
40 g/1½ oz/3 c. à soupe de beurre
sel et poivre noir fraîchement moulu
ciboulette fraîche ciselée, pour la garniture

1 Réunissez le haddock, l'oignon, le bouquet garni et l'eau dans une grande casserole, et portez à ébullition. Écumez la surface, puis couvrez et baissez le feu. Laissez pocher 10 à 15 min, jusqu'à ce que la chair du haddock se détache facilement.

2 Retirez le haddock de la casserole et ôtez la peau et les arêtes. Émiettez la chair et réservez-la. Remettez la peau et les arêtes dans la casserole et laissez mijoter 20 min à découvert. Passez le bouillon au tamis.

3 Versez le bouillon dans la casserole, puis ajoutez les pommes de terre et faites-les cuire 25 min environ, jusqu'à ce qu'elles soient tendres. Retirez les pommes de terre à l'aide d'une écumoire. Mettez le lait dans la casserole et portez à ébullition.

4 Dans le même temps, écrasez les pommes de terre avec le beurre, puis incorporez la purée dans la casserole en fouettant bien, jusqu'à ce que la soupe soit onctueuse. Ajoutez le poisson et rectifiez l'assaisonnement. Parsemez la soupe de ciboulette fraîche et servez-la aussitôt, accompagnée de pain frais.

SOUPE DE GOMBOS ET DE MORUE FUMÉE

Cette soupe s'inspire d'une recette ghanéenne à base de gombos. Ici, elle est enrichie de poisson fumé.

INGRÉDIENTS

Pour 4 personnes

115 g/4 oz de gombos équeutés
225 g/8 oz de filet de morue fumée, coupé en morceaux
2 bananes vertes
50 g/2 oz/4 c. à soupe de beurre
1 oignon finement haché
2 tomates pelées et finement hachées
900 ml/1½ pintes/3¾ tasses de fumet de poisson
1 piment frais épépiné et haché
sel et poivre noir fraîchement moulu
quelques brins de persil frais, pour la garniture

3 Ajoutez la morue, le fumet, le piment et l'assaisonnement. Portez à ébullition, puis baissez le feu et poursuivez la cuisson 20 min environ, jusqu'à ce que la morue soit parfaitement moelleuse.

4 Pelez les bananes cuites et émincez-les. Incorporez-les à la soupe, puis réchauffez le tout quelques minutes. Répartissez la soupe dans des assiettes et garnissez de persil.

1 Fendez la peau des bananes (sans la retirer) et placez celles-ci dans une grande casserole. Couvrez les bananes d'eau, portez à ébullition et faites cuire 25 min à feu moyen, jusqu'à ce qu'elles soient tendres. Transférez-les dans une assiette et laissez refroidir.

2 Chauffez le beurre dans une cocotte et faites revenir l'oignon 5 min. Incorporez les tomates et les gombos, et laissez mijoter 10 min.

SOUPE AUX BOULETTES DE SARDINES

Le nom japonais de cette soupe est Tsumire-jiru. *Les Tsumire ou « boulettes de sardines » contribuent au goût puissant et aromatique de la recette.*

INGRÉDIENTS

Pour 4 personnes

  6 champignons *shiitake*
  1 poireau ou 1 gros oignon nouveau
  100 ml/3$\frac{1}{2}$ oz/$\frac{3}{8}$ tasse de saké ou
    de vin blanc sec
  1,2 l/2 pintes/5 tasses de
    dashi instantané
  60 ml/4 c. à soupe de *miso* blanc

Pour les boulettes de sardines

  800 g/1$\frac{3}{4}$ lb de sardines fraîches
    évidées et étêtées
  20 g/$\frac{3}{4}$ oz de gingembre frais
  30 ml/2 c. à soupe de *miso* blanc
  15 ml/1 c. à soupe de saké
    ou de vin blanc sec
  7,5 ml/1$\frac{1}{2}$ c. à thé de sucre
  1 œuf
  30 ml/2 c. à soupe de Maïzena

1 Commencez par préparer les boulettes. Râpez le gingembre et pressez-le bien pour obtenir 5 ml/ 1 c. à thé de jus de gingembre.

2 Rincez les sardines à l'eau froide, puis coupez-les en deux dans le sens de la longueur. Retirez les arêtes. Pour écailler une sardine, étendez-la côté peau dessous, et passez un couteau tranchant le long de la peau, en allant de la queue vers la tête.

3 Hachez grossièrement les sardines et passez-les au mixer avec le jus de gingembre, le *miso,* le saké ou le vin, le sucre et l'œuf, jusqu'à obtenir une pâte épaisse. Transférez la pâte dans un bol et incorporez la Maïzena.

4 Nettoyez les champignons *shiitake.* Coupez le poireau ou l'oignon nouveau en tronçons de 4 cm/ 1$\frac{1}{2}$ po.

5 Portez les ingrédients de la soupe à ébullition. À l'aide de 2 petites cuillères humidifiées, façonnez des boulettes avec la pâte de sardines et plongez-les dans la soupe. Ajoutez les champignons et le poireau ou l'oignon nouveau.

6 Laissez mijoter jusqu'à ce que les boulettes remontent à la surface. Servez la soupe immédiatement dans de grands bols.

MINESTRONE AU POULET

INGRÉDIENTS

Pour 4 à 6 personnes

2 cuisses de poulet

15 ml/1 c. à soupe d'huile d'olive

3 tranches de poitrine fumée,
coupées en lardons

1 oignon finement haché

quelques feuilles de basilic
frais ciselées

quelques feuilles de romarin frais
finement hachées

15 ml/1 c. à soupe de persil
frais haché

2 pommes de terre coupées
en dés d'1 cm/$\frac{1}{2}$ po

1 belle carotte coupée en dés
d'1 cm/$\frac{1}{2}$ po

2 petites courgettes coupées
en dés d'1 cm/$\frac{1}{2}$ po

1 à 2 branche(s) de céleri coupée(s)
en dés d'1 cm/$\frac{1}{2}$ po

1 l/1$\frac{3}{4}$ pintes/4 tasses de bouillon
de volaille

200 g/7 oz/1$\frac{3}{4}$ tasses de petits pois
surgelés

90 g/3$\frac{1}{2}$ oz/$\frac{7}{8}$ tasse de petites
pâtes à potage

sel et poivre noir fraîchement moulu

copeaux de parmesan,
pour la garniture

1 Chauffez l'huile dans une sauteuse et saisissez les cuisses de poulet environ 5 min de chaque côté. Retirez-les avec une écumoire et réservez.

2 Mettez les lardons, l'oignon et les herbes dans la sauteuse et faites revenir 5 min environ, en remuant. Ajoutez les pommes de terre, la carotte, les courgettes et le céleri, et cuisez encore 5 à 7 min.

3 Remettez les cuisses de poulet dans la sauteuse. Versez le bouillon et portez à ébullition. Couvrez et laissez mijoter 35 à 40 min à feu doux, en tournant de temps à autre.

4 Sortez les cuisses de poulet à l'aide d'une écumoire et placez-les sur une planche. Incorporez les petits pois et les pâtes dans la soupe, et portez de nouveau à ébullition. Laissez mijoter 7 à 8 min (ou selon les instructions du paquet) en remuant fréquemment, jusqu'à ce que les pâtes soient *al dente.*

5 Pendant ce temps, retirez la peau et les os du poulet, puis détaillez la chair en petits morceaux.

6 Remettez la viande dans la soupe, remuez bien et réchauffez le tout. Goûtez et rectifiez l'assaisonnement si nécessaire.

7 Servez la soupe aussitôt dans des assiettes chaudes, garnie de copeaux de parmesan.

BOUILLON AUX PÂTES ET AUX PETITS POIS

Cette soupe épaisse, originaire du Latium, utilise des pâtes fraîches mais des petits pois surgelés, pour gagner du temps.

INGRÉDIENTS

Pour 4 à 6 personnes

300 g/11 oz de lasagnes fraîches

400 g/14 oz/3 1/2 tasses de petits pois surgelés

25 g/1 oz/2 c. à soupe de beurre

50 g/2 oz/1/3 tasse de *pancetta* ou de poitrine fumée découennée, grossièrement hachée

1 petit oignon finement haché

1 branche de céleri finement hachée

5 ml/1 c. a thé de concentré de tomates

5 à 10 ml/1 à 2 c. à thé de persil plat frais finement haché

1 l/1 3/4 pintes/4 tasses de bouillon de volaille

50 g/2 oz/1/3 tasse de *prosciutto* ou de jambon de Parme coupé en petits dés

sel et poivre noir fraîchement moulu

parmesan râpé, pour l'accompagnement

1 Chauffez le beurre dans une grande casserole et faites revenir la *pancetta* ou la poitrine fumée, l'oignon et le céleri 5 min à feu doux, sans cesser de remuer.

CONSEIL

Salez parcimonieusement car la *pancetta* et le *prosciutto* sont déjà très salés.

2 Ajoutez les petits pois et faites-les cuire 3 à 4 min en tournant. Incorporez le concentré de tomates, le persil, le bouillon et l'assaisonnement. Portez à ébullition, puis couvrez, baissez le feu et laissez mijoter 10 min. Pendant ce temps, coupez les lasagnes fraîches en carrés de 2 cm/3/4 po.

3 Goûtez la soupe et rectifiez l'assaisonnement. Incorporez les pâtes, remuez et portez à ébullition. Laissez mijoter 2 à 3 min, jusqu'à ce que les pâtes soient *al dente*, puis ajoutez le *prosciutto* ou le jambon de Parme. Servez la soupe dans des assiettes chaudes, avec un bol de parmesan râpé à côté.

SOUPE DE COURGE AU PORC

Cette soupe de courge légèrement épicée est enrichie par l'adjonction de gruyère râpé fondant.

INGRÉDIENTS

Pour 4 personnes

900 g/2 lb de courge butternut
225 g/8 oz de longe de porc fumée
15 ml/1 c. à soupe d'huile
225 g/8 oz d'oignons
   grossièrement hachés
2 gousses d'ail écrasées
10 ml/2 c. à thé de cumin moulu
15 ml/1 c. à soupe de
   coriandre moulue
275 g/10 oz de pommes de terre
   coupées en dés
900 ml/1½ pintes/3¾ tasses de
   bouillon de légumes
10 ml/2 c. à thé de Maïzena
30 ml/2 c. à soupe de crème fraîche
Tabasco, selon le goût
sel et poivre noir fraîchement moulu
175 g/6 oz/1½ tasses de gruyère
   râpé, pour l'accompagnement

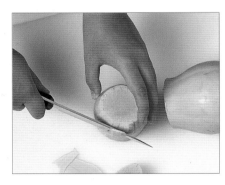

1 Coupez la courge en gros morceaux. À l'aide d'un couteau bien aiguisé, ôtez délicatement la peau, en gaspillant aussi peu de chair que possible.

2 Après avoir retiré les graines, débitez la courge en dés. Débarrassez la longe de porc de sa graisse et émincez-la grossièrement.

3 Chauffez l'huile dans une grande casserole et faites revenir les oignons et l'ail 3 min.

4 Mettez le porc et laissez mijoter 3 min. Incorporez les épices et prolongez la cuisson 1 min, sur feu doux.

5 Ajoutez la courge, les pommes de terre et le bouillon. Portez à ébullition, puis laissez mijoter 15 min, afin que les légumes soient tendres.

6 Délayez la Maïzena dans 30 ml/ 2 c. à soupe d'eau et incorporez-la à la soupe avec la crème fraîche. Portez à ébullition et laissez cuire 3 min à découvert. Rectifiez l'assaisonnement et ajoutez le Tabasco.

7 Répartissez la soupe dans des assiettes chaudes et parsemez-les généreusement de gruyère râpé. Servez immédiatement, accompagné de pain frais.

CONSEIL
On peut remplacer la courge butternut par du potiron, pour un résultat tout aussi délicieux.

SOUPE DE POIS CASSÉS AU JAMBON

L'ingrédient principal de cette soupe est le talon de jambon fumé ou l'extrémité de l'os du jambon. Vous pouvez les remplacer par un morceau de poitrine de porc.

INGRÉDIENTS
Pour 4 personnes

450 g/1 lb/2½ tasses de pois cassés verts
1 talon de jambon fumé
4 tranches de bacon découennées
1 oignon grossièrement haché
2 carottes émincées
1 branche de céleri émincée
2,4 l/4¼ pintes/10½ tasses d'eau froide
1 brin de thym frais
2 feuilles de laurier
1 grosse pomme de terre coupée en dés
poivre noir fraîchement moulu

1 Versez les pois cassés dans une casserole, couvrez d'eau et laissez-les tremper toute la nuit.

2 Détaillez le bacon en petits morceaux et faites-le revenir 4 à 5 min dans une sauteuse. Retirez-le à l'aide d'une écumoire.

3 Ajoutez l'oignon, les carottes et le céleri, et faites revenir 3 à 4 min dans la graisse du bacon, sans laisser brunir l'oignon. Incorporez le bacon et l'eau.

4 Égouttez les pois cassés et mettez-les dans la sauteuse avec le thym, le laurier, la pomme de terre et le talon de jambon. Portez à ébullition, puis baissez le feu, couvrez et laissez mijoter 1 h.

5 Ôtez le thym, le laurier et le talon de jambon. Passez la soupe au mixer, puis remettez-la dans une casserole. Détachez la viande du talon de jambon, incorporez-la à la soupe et réchauffez le tout à petit feu. Poivrez généreusement. Répartissez la soupe dans des assiettes chaudes et servez.

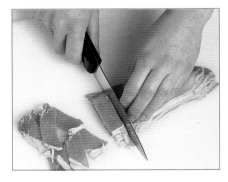

SOUPE DE LENTILLES AU LARD ET AUX SAUCISSES

Pour une version plus légère de cette soupe de nourrissance, omettez les saucisses de Francfort.

INGRÉDIENTS

Pour 6 personnes

225 g/8 oz/1 tasse de
lentilles brunes
115 g/4 oz de lard maigre fumé
225 g/8 oz saucisses de Francfort
coupées en rondelles épaisses
15 ml/1 c. à soupe d'huile
de tournesol
1 oignon finement haché
1 poireau finement haché
1 carotte finement hachée
2 branches de céleri hachées
2 feuilles de laurier
1,5 l/2½ pintes/6¼ tasses d'eau
30 ml/2 c. à soupe de persil frais
haché, plus un peu pour
la garniture
sel et poivre noir fraîchement moulu

1 Rincez abondamment les lentilles à l'eau froide, puis égouttez-les. Réservez.

2 Chauffez l'huile dans une grande casserole et faites fondre l'oignon 5 min. Ajoutez le poireau, la carotte, le céleri, le lard et le laurier.

REMARQUE

À la différence de la plupart des légumes secs, les lentilles brunes n'ont pas besoin d'avoir trempé dans de l'eau avant d'être cuites.

3 Incorporez les lentilles. Mouillez avec l'eau, puis portez doucement à ébullition. Écumez la surface, puis laissez mijoter 45 à 50 min, partiellement à couvert, jusqu'à ce que les lentilles soient tendres.

4 Retirez le morceau de lard, puis dégraissez-le et coupez-le en dés.

5 Remettez les dés de lard dans la soupe avec le persil et les rondelles de saucisses de Francfort. Assaisonnez généreusement. Faites cuire 2 à 3 min, puis retirez les feuilles de laurier.

6 Répartissez la soupe dans des assiettes chaudes et garnissez de persil haché.

SOUPE VIETNAMIENNE AUX CREVETTES

*Cette délicieuse soupe originaire
du Vietnam est rapide et facile
à préparer, et se distingue par son
parfum puissant et très original.
Les nouilles font de cette recette
un plat nourrissant et équilibré.*

INGRÉDIENTS

Pour 4 à 6 personnes

225 g/8 oz de crevettes crues ou
  cuites et étêtées
350 g/12 oz de porc (filet ou côtes)
150 g/5 oz de nouilles aux
  œufs fines
15 ml/1 c. à soupe d'huile végétale
10 ml/2 c. à thé d'huile de sésame
4 échalotes ou 1 oignon moyen,
  émincé(es)
15 ml/1 c. à soupe de gingembre
  frais finement émincé
1 gousse d'ail écrasée
5 ml/1 c. à thé de sucre
1,5 l/2½ pintes/6¼ tasses de
  bouillon de volaille
2 feuilles de citronnier
45 ml/3 c. à soupe de sauce
  de poisson
le jus d'½ citron vert
Pour la garniture
4 brins de coriandre fraîche
2 oignons nouveaux (parties vertes
  uniquement) émincés

VARIANTE
Cette recette rapide et
délicieuse peut également être
réalisée avec 200 g/7 oz de poulet
désossé à la place du porc.

1 Si vous utilisez des côtes de porc, retirez le gras et les os. Mettez le porc 30 min au congélateur, afin qu'il soit ferme. Cela vous permettra de le couper finement plus facilement. Émincez-le et réservez.

2 Si vous utilisez des crevettes crues, étêtez-les et décortiquez-les en ôtant les veines noires.

3 Portez une grande casserole d'eau salée à ébullition et faites cuire les nouilles selon les instructions du paquet. Égouttez-les, rafraîchissez-les à l'eau froide et égouttez de nouveau. Réservez.

4 Préchauffez un wok avec les 2 huiles. Quand le mélange d'huile est chaud, faites blondir les échalotes ou l'oignon 3 à 4 min. Retirez du wok et réservez.

5 Dans le wok, réunissez le gingembre, l'ail, le sucre et le bouillon, et portez à ébullition. Ajoutez les feuilles de citronnier, la sauce de poisson et le jus de citron vert. Mettez le porc et laissez mijoter 15 min.

6 Incorporez les crevettes et les nouilles, et poursuivez la cuisson 3 à 4 min, ou un peu plus si vous utilisez des crevettes crues.

7 Servez la soupe garnie de brins de coriandre et d'oignons nouveaux émincés.

SOUPE AUX TROIS SURPRISES

Cette savoureuse soupe marie du poulet, du jambon et des crevettes.

INGRÉDIENTS

Pour 4 personnes

115 g/4 oz de blanc de poulet
115 g/4 oz de jambon
   blanc supérieur
115 g/4 oz de crevettes décortiquées
700 ml/1¼ pintes/3 tasses de
   bouillon de volaille
sel
oignons nouveaux hachés,
   pour la garniture

CONSEIL

Les crevettes fraîches et
crues donnent un goût délicat.
À défaut, vous pouvez les
remplacer par des crevettes
cuites, que vous incorporerez
en fin de cuisson seulement.

1 Détaillez le poulet et le jambon en fins petits morceaux. Si les crevettes sont grosses, coupez-les en deux dans la longueur.

2 Dans un wok ou une casserole, portez le bouillon à ébullition, puis ajoutez le poulet, le jambon et les crevettes. Remettez à bouillir, salez et laissez mijoter 1 min.

3 Répartissez la soupe dans des bols et servez-la bien chaude, garnie d'oignons nouveaux.

SOUPE À L'AGNEAU ET AU CONCOMBRE

Cette soupe tout à fait délicieuse est d'une simplicité enfantine à réaliser.

INGRÉDIENTS

Pour 4 personnes

225 g/8 oz de viande d'agneau
1 morceau de concombre de
   7,5 cm/3 po
15 ml/1 c. à soupe de sauce de
   soja claire
10 ml/2 c. à thé de vin de riz
   chinois ou de xérès sec
2,5ml/½ c. à thé d'huile de sésame
750 ml/1¼ pintes/3 tasses de
   bouillon de volaille ou de légumes
15 ml/1 c. à soupe de vinaigre
   de riz
sel et poivre noir fraîchement moulu

1 Parez l'agneau et coupez-le en petits morceaux. Faites-le mariner dans la sauce de soja, le vin ou le xérès et l'huile de sésame 25 à 30 min. Jetez la marinade.

2 Coupez le concombre en deux dans la longueur (sans le peler), puis émincez-le en biais.

3 Dans un wok ou une casserole, portez le bouillon à ébullition, ajoutez l'agneau et remuez bien.

4 Remettez à bouillir, puis incorporez le concombre, le vinaigre et l'assaisonnement. Faites bouillir à nouveau, puis servez la soupe immédiatement.

SOUPE BULGARE À L'AGNEAU

Cette soupe acidulée se prépare avec de l'agneau, mais le porc et le poulet conviennent tout autant.

INGRÉDIENTS

Pour 4 à 5 personnes

450 g/1 1b d'agneau maigre paré
   et coupé en dés
30 ml/2 c. à soupe d'huile
1 oignon coupé en dés
30 ml/2 c. à soupe de farine
15 ml/1 c. à soupe de paprika
1 l/1³⁄₄ pintes/4 tasses de bouillon
   d'agneau chaud
3 brins de persil frais
4 oignons nouveaux
4 brins d'aneth frais
25 g/1 oz/¹⁄₈ tasse de riz long
2 œufs battus
30 à 45 ml/2 à 3 c. à soupe (ou
   plus) de vinaigre de vin rouge
   ou de jus de citron
sel et poivre noir fraîchement moulu
Pour la garniture
25 g/l oz/2 c. à soupe de
   beurre fondu
5 ml/1 c. à thé de paprika
un peu de persil, de livèche
   ou d'aneth frais

1 Dans une cocotte, chauffez l'huile, puis saisissez les dés de viande jusqu'à ce qu'ils soient dorés. Ajoutez l'oignon et faites-le revenir. Quand il est tendre, saupoudrez de farine et de paprika. Remuez bien, mouillez avec le bouillon et faites cuire 10 min.

2 Ficelez le persil, les oignons nouveaux et l'aneth ensemble, et ajoutez-les dans la cocotte avec le riz et l'assaisonnement. Portez à ébullition, puis laissez mijoter 30 à 40 min, jusqu'à ce que l'agneau soit cuit.

3 Hors du feu, incorporez les œufs. Ajoutez le vinaigre ou le jus de citron, éliminez les herbes aromatiques et rectifiez l'assaisonnement.

4 Pour la garniture, mélangez le beurre fondu et le paprika. Répartissez la soupe dans des assiettes chaudes, puis garnissez de fines herbes et de beurre au paprika.

SOUPE DE PÂTES AUX BOULETTES DE BŒUF

Cette soupe originaire de Sicile constitue un repas complet à déguster en toute saison.

INGRÉDIENTS

Pour 4 personnes

90 g/3½ oz/¾ tasse de pâtes très fines (*spaghettini,* par exemple)
2 boîtes de 300 g/11 oz de consommé de bœuf concentré

Pour les boulettes de bœuf

1 tranche très épaisse de pain de mie, sans la croûte
30 ml/2 c. à soupe de lait
225 g/8 oz/1 tasse de bœuf haché
1 gousse d'ail écrasée
30 ml/2 c. à soupe de parmesan râpé
30 à 45 ml/2 à 3 c. à soupe de persil plat frais, grossièrement haché
1 œuf
1 généreuse pincée de muscade fraîchement râpée
sel et poivre noir fraîchement moulu

Pour la garniture

persil plat frais haché
parmesan râpé

1 Préparez les boulettes. Rompez le pain dans un bol, ajoutez le lait et laissez tremper. Pendant ce temps, réunissez le bœuf haché, l'ail, le parmesan, le persil et l'œuf dans une jatte. Incorporez la muscade et assaisonnez.

2 Pressez le pain avec vos doigts pour éliminer autant de lait que possible, puis mettez-le dans la jatte et mélangez bien le tout. Les mains mouillées, façonnez de petites boulettes de la taille d'une bille avec ce mélange.

3 Versez les 2 boîtes de consommé dans une grande casserole, ajoutez de l'eau selon les instructions de la boîte et 1 boîte d'eau supplémentaire. Assaisonnez, portez à ébullition et incorporez les boulettes.

4 Cassez les pâtes en petits morceaux et jetez-les dans la soupe. Portez à ébullition, en remuant doucement. Laissez mijoter 7 à 8 min (ou selon les instructions du paquet), jusqu'à ce que les pâtes soient *al dente.* Goûtez et rectifiez l'assaisonnement.

5 Servez aussitôt la soupe dans des assiettes chaudes. Garnissez de persil et de parmesan râpé.

SOUPE CLAIRE AUX BOULETTES DE BŒUF

*Cette soupe d'inspiration chinoise
associe des boulettes de viande
à des légumes légèrement cuits
dans un savoureux bouillon.*

INGRÉDIENTS

Pour 8 personnes

4 à 6 champignons chinois,
ayant trempé 30 min dans
de l'eau chaude
30 ml/2 c. à soupe d'huile d'arachide
1 gros oignon finement haché
2 gousses d'ail écrasées
1 morceau de gingembre frais
d'1 cm/1/2 po, légèrement écrasé
2 l/31/2 pintes/9 tasses de bouillon
de bœuf ou de volaille, mélangé à
l'eau de trempage des champignons
30 ml/2 c. à soupe de sauce de soja
115 g/4 oz de chou frisé, d'épinards
ou de chou chinois haché(s)

Pour les boulettes de bœuf

175 g/6 oz/3/4 tasse de bœuf haché
1 petit oignon haché
1 à 2 gousse(s) d'ail écrasée(s)
15 ml/1 c. à soupe de Maïzena
un peu de blanc d'œuf légèrement
battu
sel et poivre noir fraîchement moulu

1 Préparez les boulettes. Passez
le bœuf, l'oignon, l'ail, la Maïzena
et l'assaisonnement au mixer, puis
liez avec suffisamment de blanc
d'œuf pour obtenir une pâte ferme.
Avec les mains mouillées, façonnez
de petites boulettes.

2 Égouttez les champignons et
réservez l'eau de trempage. Éliminez les pieds et émincez finement
les têtes.

3 Chauffez un wok ou une grande
casserole et ajoutez l'huile. Faites
revenir l'oignon, l'ail et le gingembre, sans les laisser brunir.

4 Lorsque l'oignon est tendre,
mouillez avec le bouillon. Portez à
ébullition, puis incorporez la sauce
de soja et les champignons, et
laissez mijoter 10 min. Ajoutez les
boulettes et prolongez la cuisson
de 10 min.

5 Juste avant de servir, ôtez le
gingembre. Incorporez le chou ou
les épinards haché(s) et réchauffez le tout 1 min seulement, pour
éviter que le chou ne soit trop cuit.
Servez la soupe immédiatement.

SOUPE DE PORC AUX LÉGUMES

Les ingrédients exotiques qui composent cette soupe japonaise élaborée s'achètent dans la plupart des magasins de produits asiatiques.

INGRÉDIENTS

Pour 4 personnes

200 g/7 oz de poitrine de porc coupée en longues lamelles

50 g/2 oz de *gobo* (facultatif)

1/2 *konnyaku* noir (environ 115 g/4 oz)

115 g/4 oz de *daikon* pelé et finement émincé

50 g/2 oz de carotte finement émincée

1 pomme de terre moyenne finement émincée

4 champignons *shiitake* (sans les pieds) finement émincés

5 ml/1 c. à thé de vinaigre de riz

10 ml/2 c. à thé d'huile

800 ml/1 3/8 pintes/3 1/2 tasses de bouillon de base japonais *(voir p. 15)* ou de *dashi* instantané

15 ml/1 c. à soupe de saké ou de vin blanc sec

45 ml/3 c. à soupe de *miso* blanc

Pour la garniture

2 oignons nouveaux finement émincés

shichimi (condiment aux 7 épices)

1 Si vous utilisez le *gobo,* frottez-en la peau à l'aide d'une brosse à légumes. Émincez-le finement en copeaux. Faites-le tremper 5 min dans beaucoup d'eau additionnée du vinaigre, puis égouttez-le.

2 Mettez le morceau de *konnyaku* dans une petite casserole et couvrez-le d'eau. Portez à ébullition à feu moyen, puis égouttez-le et laissez-le refroidir. Cette opération lui ôte son goût amer.

3 Avec les mains, rompez le *konnyaku* en morceaux de 2 cm/3/4 po. Le couteau est ici à proscrire car une surface lisse ne peut absorber les parfums.

4 Chauffez l'huile dans une casserole et faites sauter le porc en remuant. Ajoutez le *gobo,* le *daikon,* la carotte, la pomme de terre, les champignons et le *konnyaku,* et poursuivez la cuisson 1 min.

5 Versez le bouillon (ou le *dashi)* et le saké (ou le vin). Portez la soupe à ébullition, écumez et laissez mijoter 10 min, afin d'attendrir les légumes.

6 Versez un peu de soupe dans un bol et délayez le *miso* dedans. Remettez le mélange dans la casserole et, quand la soupe bout, arrêtez la cuisson pour ne pas neutraliser les parfums. Retirez du feu, puis répartissez la soupe dans des bols individuels. Parsemez d'oignons nouveaux et de *shichimi,* et servez immédiatement.

SOUPE DE TOMATES AU BŒUF

Les tomates et les oignons confèrent un aspect et un parfum merveilleux.

INGRÉDIENTS

Pour 4 personnes

6 tomates coupées en deux, épépinées et hachées
30 ml/2 c. à soupe de concentré de tomates
75 g/3 oz de rumsteck dégraissé
900 ml/1½ pintes/3¾ tasses de bouillon de bœuf
10 ml/2 c. à thé de sucre en poudre
15 ml/1 c. à soupe de Maïzena
15 ml/1 c. à soupe d'eau froide
1 blanc d'œuf
2,5 ml/½ c. à thé d'huile de sésame
2 oignons nouveaux coupés en julienne
sel et poivre noir fraîchement moulu

3 Délayez la Maïzena dans l'eau froide. Ajoutez le mélange à la soupe, en remuant constamment jusqu'à épaississement. Dans un bol, battez légèrement le blanc d'œuf.

4 Versez le blanc d'œuf dans la soupe en un filet régulier, sans cesser de remuer. Dès que l'œuf change de couleur, assaisonnez, mélangez et répartissez la soupe dans des assiettes chaudes. Versez quelques gouttes d'huile de sésame et parsemez d'oignons nouveaux.

1 Détaillez le rumsteck en lamelles que vous mettez dans une cocotte. Couvrez d'eau bouillante et faites cuire 2 min. Égouttez soigneusement et réservez.

2 Portez le bouillon à ébullition dans une casserole. Incorporez le concentré de tomates, puis les tomates et le sucre. Ajoutez le bœuf, faites bouillir à nouveau, puis baissez le feu et laissez mijoter 2 min.

SOUPE DE BŒUF PIMENTÉE

Cette soupe consistante s'inspire de la recette traditionnelle du chili con carne. Elle constitue une revigorante entrée chaude.

INGRÉDIENTS

Pour 4 personnes

175 g/6 oz/³⁄₄ tasse de bœuf haché
15 ml/1 c. à soupe d'huile
1 oignon haché
2 gousses d'ail hachées
1 piment rouge frais émincé
25 g/1 oz/¹⁄₄ tasse de farine
400 g/14 oz de tomates concassées en conserve
600 ml/1 pinte/2¹⁄₂ tasses de bouillon de bœuf
225 g/8 oz/2 tasses de haricots rouges en conserve, rincés et égouttés
30 ml/2 c. à soupe de persil frais haché
sel et poivre noir fraîchement moulu

1 Chauffez l'huile dans une grande casserole et faites revenir l'oignon et le bœuf 5 min, jusqu'à ce que celui-ci soit bien saisi.

2 Ajoutez l'ail, le piment et la farine, puis prolongez la cuisson 1 min. Incorporez les tomates et mouillez avec le bouillon. Portez à ébullition.

3 Mettez les haricots rouges dans la soupe et assaisonnez. Laissez cuire 20 min.

4 Incorporez le persil, en en réservant un peu pour la garniture. Répartissez la soupe dans des assiettes chaudes et parsemez-les de persil. Accompagnez de pain frais.

CONSEIL

Pour une saveur moins épicée, retirez les graines du piment après l'avoir émincé.

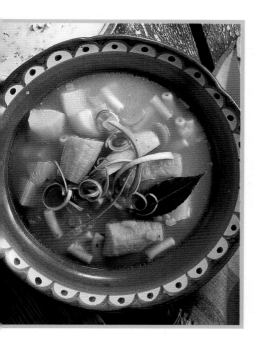

SOUPES
COMPLÈTES

SOUPE TOSCANE AUX COCOS BLANCS

Cette soupe est encore meilleure réchauffée !

INGRÉDIENTS

Pour 4 personnes

400 g/14 oz de cocos blancs en conserve, rincés et égouttés, jus réservé

45 ml/3 c. à soupe d'huile d'olive vierge extra

1 oignon grossièrement haché

2 poireaux grossièrement hachés

1 grosse pomme de terre coupée en dés

2 gousses d'ail finement hachées

1,2 l/2 pintes/5 tasses de bouillon de légumes

175 g/6 oz de chou de Milan émincé

45 ml/3 c. à soupe de persil plat frais haché

30 ml/2 c. à soupe d'origan frais haché

75 g/3 oz/1 tasse de parmesan en copeaux

sel et poivre noir fraîchement moulu

Pour le pain à l'ail

30 à 45 ml/2 à 3 c. à soupe d'huile d'olive vierge extra

6 tranches de pain de campagne

1 gousse d'ail pelée et légèrement écrasée

1 Chauffez l'huile dans une cocotte et faites revenir l'oignon, les poireaux, la pomme de terre et l'ail 4 à 5 min à feu doux, jusqu'à ce qu'ils commencent à fondre.

2 Mouillez avec le bouillon et le jus des cocos. Couvrez et laissez mijoter 15 min.

3 Incorporez le chou, les cocos et la moitié des herbes aromatiques, assaisonnez et prolongez la cuisson 10 min. Passez 1/3 de la soupe au mixer, remettez-la dans la cocotte, rectifiez l'assaisonnement et réchauffez le tout 5 min.

4 Préparez le pain à l'ail. Arrosez légèrement d'huile les tranches de pain, puis frottez-les d'ail sur les deux faces. Faites-les griller des deux côtés. Répartissez la soupe dans des assiettes, parsemez du reste d'herbes et de copeaux de parmesan. Ajoutez un filet d'huile d'olive vierge et servez avec le pain à l'ail chaud.

SOUPE FERMIÈRE

*Les légumes racines forment
la base de cette soupe copieuse qui
s'apparente un peu au minestrone.
Variez les légumes en fonction
de la saison.*

INGRÉDIENTS

Pour 4 personnes

175 g/6 oz de rutabagas coupés
    en gros morceaux
175 à 200 g/6 à 7 oz de navets
    coupés en gros morceaux
3 carottes coupées en gros morceaux
400 g/14 oz de tomates
    roma hachées
400 g/14 oz de haricots rouges en
    conserve, rincés et égouttés
30 ml/2 c. à soupe d'huile d'olive
1 oignon grossièrement haché
15 ml/1 c. à soupe de concentré
    de tomates
5 ml/1 c. à thé de fines
    herbes séchées
5 ml/1 c. à thé d'origan séché
50 g/2 oz/$\frac{1}{2}$ tasse de piments
    séchés finement émincés
    (facultatif)
1,5 l/2$\frac{1}{2}$ pintes/6$\frac{1}{4}$ tasses de
    bouillon de légumes ou d'eau
50 g/2 oz/$\frac{1}{2}$ tasse de petits
    macaronis ou de *conchiglie*
30 ml/2 c. à soupe de persil plat
    frais haché
sel et poivre noir fraîchement moulu
parmesan râpé,
    pour l'accompagnement

1 Chauffez l'huile dans une grande casserole et faites revenir l'oignon environ 5 min à feu doux. Ajoutez les légumes frais, le concentré de tomates, les fines herbes et les piments, le cas échéant. Salez et poivrez.

2 Mouillez avec le bouillon ou l'eau et portez à ébullition. Mélangez bien, couvrez, puis baissez le feu et laissez mijoter 30 min, en remuant de temps en temps.

3 Versez les pâtes et portez à ébullition. Baissez le feu, puis laissez mijoter environ 5 min à découvert (ou selon les instructions du paquet), jusqu'à ce que les pâtes soient *al dente.* Tournez fréquemment en cours de cuisson.

4 Incorporez les haricots. Chauffez le tout 2 à 3 min, puis retirez du feu et ajoutez le persil. Goûtez et rectifiez l'assaisonnement. Servez la soupe dans des assiettes chaudes et présentez le parmesan râpé dans un bol à part.

CONSEIL

On trouve des paquets de piments séchés dans la plupart des supermarchés et épiceries fines. Piquants, fermes et charnus, ils se marient très bien aux soupes végétariennes.

SOUPE DE LÉGUMES PROVENÇALE

V

*Cette soupe recèle tous les parfums
de la Provence. Le pistou — un
mélange de basilic et d'ail liés
à l'huile d'olive — lui confère de
la couleur et un merveilleux arôme.
Ne l'omettez surtout pas !*

INGRÉDIENTS

Pour 6 à 8 personnes

275 g/10 oz/1½ tasses de fèves
   fraîches écossées ou 175 g/6 oz/
   ¾ tasse de haricots secs, ayant
   trempé dans de l'eau toute la nuit
2 carottes coupées en petits dés
2 petites pommes de terre coupées
   en petits dés
115 g/4 oz de haricots verts
2 petites courgettes coupées
   en petits dés
115 g/4 oz/1 tasse de petits pois
   écossés frais ou surgelés
3 tomates moyennes pelées,
   épépinées et finement hachées
1 poignée d'épinards détaillés
   en fines lanières
2.5 ml/½ c. à thé d'herbes de
   Provence séchées
2 gousses d'ail finement hachées
15 ml/1 c. à soupe d'huile d'olive
1 oignon finement haché
1 gros poireau finement émincé
1 branche de céleri finement émincée
1,2 l/2 pintes/5 tasses d'eau
sel et poivre noir fraîchement moulu
quelques bouquets de basilic frais,
   pour la garniture

Pour le pistou

1 à 2 gousse(s) d'ail
   finement hachée(s)
15 g/½ oz/½ tasse de feuilles
   de basilic
60 ml/4 c. à soupe de parmesan râpé
60 ml/4 c. à soupe d'huile d'olive
   vierge extra

1 Pour confectionner le pistou,
passez l'ail, le basilic et le parmesan au mixer, en raclant les bords
une fois. Sans cesser de mixer,
ajoutez doucement l'huile d'olive
par la cheminée de remplissage.
Ou bien broyez l'ail, le basilic et le
parmesan dans un mortier avec
un pilon avant d'incorporer l'huile.

2 Préparez la soupe. Si vous utilisez des haricots secs, égouttez-les
et mettez-les dans une casserole
d'eau. Faites bouillir 10 min à gros
bouillons et égouttez.

3 Mettez les haricots blanchis ou
les fèves fraîches dans une cocotte
avec les herbes de Provence et
1 gousse d'ail. Recouvrez de
2,5 cm/1 po d'eau. Portez à ébullition, puis diminuez le feu et laissez mijoter à feu moyen, environ
10 min pour les fèves ou 1 h pour
les haricots secs, afin qu'ils soient
tendres. Réservez dans le jus de
cuisson.

4 Chauffez l'huile dans une sauteuse. Faites revenir l'oignon et
le poireau 5 min, en remuant de
temps en temps, jusqu'à ce qu'ils
commencent à fondre.

5 Ajoutez le céleri, les carottes
et le reste d'ail, et laissez cuire
10 min à couvert, en mélangeant
régulièrement.

6 Incorporez les pommes de terre,
les haricots verts et l'eau, et assaisonnez légèrement. Portez à ébullition en écumant la surface, puis
baissez le feu, couvrez et laissez
cuire 10 min.

7 Ajoutez les courgettes, les petits
pois, les tomates, ainsi que les
haricots ou les fèves réservé(e)s
avec leur jus de cuisson, et laissez
mijoter 25 à 30 min, afin que les
légumes soient tendres. Incorporez les épinards et prolongez la
cuisson de 5 min. Assaisonnez
la soupe et déposez 1 cuillerée
de pistou dans chaque assiette.
Garnissez de basilic et servez.

CONSEIL
Cette soupe de légumes
et le pistou qui l'accompagne
peuvent être préparés à l'avance
et conservés au congélateur.
Le jour même, il suffit de les
réchauffer à feu doux, en remuant
de temps en temps.

SOUPE DE LÉGUMES FRAIS AUX COCOS BLANCS

V

Cette soupe consistante, qui n'est pas sans rappeler le minestrone, associe des légumes frais à des cocos blancs, riches en protéines et en fibres.

INGRÉDIENTS

Pour 4 personnes

2 branches de céleri hachées
2 poireaux émincés
3 carottes émincées
400 g/14 oz de cocos blancs (ou un autre légume sec) en conserve, rincés et égouttés
30 ml/2 c. à soupe d'huile d'olive
2 gousses d'ail écrasées
1 boîte de 400 g/14 oz de tomates au basilic
1,2 l/2 pintes/5 tasses de bouillon de légumes
15 ml/1 c. à soupe de *pesto*
sel et poivre noir fraîchement moulu
copeaux de parmesan, pour la garniture

1 Chauffez l'huile dans une grande casserole, et faites revenir le céleri, les poireaux, les carottes et l'ail environ 5 min à feu doux, jusqu'à ce qu'ils fondent.

CONSEIL

On peut compléter cette soupe par d'autres légumes pour la rendre plus nourrissante encore : par exemple, des rondelles de courgette ou du chou finement émincé que vous ajouterez 5 min avant la fin de la cuisson. Ou bien quelques petites pâtes à potage que vous incorporerez juste après les tomates, car elles mettent 8 à 10 min à cuire.

2 Incorporez la purée de tomates et le bouillon. Portez à ébullition, puis couvrez et laissez mijoter 15 min.

3 Ajoutez les cocos et le *pesto,* et assaisonnez. Réchauffez le tout 5 min. Servez la soupe dans des assiettes chaudes, parsemée de copeaux de parmesan.

SOUPE DE LÉGUMES ANTILLAISE

Cette soupe de légumes, à la fois rafraîchissante et nourrissante, constitue un agréable déjeuner.

INGRÉDIENTS

Pour 4 personnes

2 carottes émincées
1 branche de céleri finement hachée
175 g/6 oz d'igname blanche ou de *taro* pelé(e) et coupé(e) en dés
2 bananes vertes pelées et coupées en 4 morceaux
25 g/1 oz/2 c. à soupe de lentilles orange
1 chayote pelée et hachée
25 g/1 oz/2 c. à soupe de beurre ou de margarine
1 oignon haché
1 gousse d'ail écrasée
1,5 l/2½ pintes/6¼ tasses de bouillon de légumes
2 feuilles de laurier
2 brins de thym frais
25 g/1 oz/2 c. à soupe de macaronis (facultatif)
sel et poivre noir fraîchement moulu
oignons nouveaux hachés, pour la garniture

CONSEIL
À défaut d'igname ou de *taro,* utilisez d'autres légumes racines. Ajoutez davantage de bouillon si vous souhaitez que votre soupe soit plus fluide.

1 Chauffez le beurre ou la margarine dans une cocotte et faites fondre l'oignon, l'ail et les carottes quelques minutes, en mélangeant de temps en temps. Ajoutez le bouillon, le laurier et le thym, et portez à ébullition.

2 Incorporez le céleri, l'igname ou le *taro,* les bananes, les lentilles, la chayote et les macaronis, le cas échéant. Assaisonnez et laissez mijoter 25 min, jusqu'à ce que les légumes soient cuits. Servez la soupe garnie d'oignons nouveaux hachés.

SOUPE RUSTIQUE AUX PIMIENTOS

*Servez cette copieuse soupe
avec des croûtons au* pesto.

INGRÉDIENTS
Pour 4 personnes

400 g/14 oz de *pimientos* en conserve
115 g/4 oz/½ tasse d'un mélange de
   cocos blancs et de haricots rouges,
   ayant trempé dans de l'eau toute
   la nuit
1,2 l/2 pintes/5 tasses d'eau
15 ml/1 c. à soupe d'huile
1 oignon haché
2 branches de céleri
   finement émincées
2 à 3 gousses d'ail écrasées
2 poireaux finement émincés
1 cube de bouillon de légumes
45 à 60 ml/3 à 4 c. à soupe de
   concentré de tomates
115 g/4 oz de pâtes à potage
4 tranches de pain
15 ml/1 c. à soupe de *pesto*
115 g/4 oz/1 tasse de jeunes épis de
   maïs coupés en deux
100 g/4 oz d'un mélange de
   bouquets de brocoli et de chou-fleur
quelques gouttes de Tabasco
sel et poivre noir fraîchement moulu

1 Égouttez les haricots secs, puis
mettez-les dans une grande casserole avec l'eau. Portez à ébullition et laissez mijoter environ 1 h,
afin qu'ils soient presque tendres.

2 Chauffez l'huile dans une cocotte
et faites revenir l'oignon, le céleri,
l'ail et les poireaux 2 min. Ajoutez
le cube de bouillon et les haricots
avec 600 ml/1 pinte/2½ tasses de
leur eau de cuisson. Couvrez et
laissez mijoter 10 min.

3 Pendant ce temps, passez les
pimientos au mixer avec un peu de
leur jus. Mettez-les dans la cocotte,
avec le concentré de tomates et
les pâtes, et cuisez encore 15 min.
Préchauffez le four à 200 °C/400 °F.

4 Préparez les croûtons. Tartinez
les tranches de pain de *pesto* et
enfournez-les 10 min.

5 Quand les pâtes sont juste
cuites, ajoutez le maïs, les bouquets de brocoli et de chou-fleur,
le Tabasco et l'assaisonnement.
Réchauffez la soupe 5 min et servez-la immédiatement, accompagnée de croûtons au *pesto*.

SOUPE JAPONAISE AU TOFU

*Le tofu émietté est réputé
pour sa haute valeur nutritive.*

INGRÉDIENTS

Pour 4 personnes

150 g/5 oz de tofu frais (égoutté)

2 champignons *shiitake* séchés

50 g/2 oz de *gobo*

5 ml/1 c. à thé de vinaigre de riz

¹/₂ *konnyaku* noir ou blanc
  (environ 115 g/4 oz)

30 ml/2 c. à soupe d'huile de sésame

115 g/4 oz de *daikon*
  finement émincé

50 g/2 oz de carottes
  finement émincées

750 ml/1¹/₄ pintes/3 tasses de
  bouillon de base japonais *(voir
  p. 15)* ou de *dashi* instantané

1 pincée de sel

30 ml/2 c. à soupe de saké
  ou de vin blanc sec

7,5 ml/1¹/₂ c. à thé de *mirin*

45 ml/3 c. à soupe de *miso* blanc
  ou rouge

1 filet de sauce de soja

6 haricots mangetout équeutés,
  cuits et finement émincés,
  pour la garniture

1 Émiettez grossièrement le tofu à la main.

2 Enveloppez-le dans un torchon et placez-le dans une passoire. Versez dessus une grande quantité d'eau bouillante, puis laissez-le s'égoutter 10 min.

3 Faites tremper les champignons 20 min dans de l'eau tiède, puis égouttez-les. Retirez leurs pieds et coupez les têtes en 4 à 6 morceaux.

4 Raclez la peau du *gobo* avec une brosse à légumes et émincez-le finement. Faites-le tremper 5 min dans beaucoup d'eau froide additionnée de vinaigre. Égouttez-le.

5 Mettez le *konnyaku* dans une petite casserole et couvrez-le d'eau. Portez à ébullition, puis égouttez-le et laissez refroidir. Rompez-le en morceaux de 2 cm/³/₄ po, sans utiliser de couteau, ce qui l'empêcherait d'absorber les arômes.

6 Chauffez l'huile de sésame dans une grande casserole et faites revenir les champignons, le *gobo*, le *daikon,* les carottes et le *konnyaku* 1 min. Incorporez le tofu et remuez bien.

7 Mouillez avec le bouillon ou le *dashi* et ajoutez le sel, le saké ou le vin et le *mirin.* Portez à ébullition. Écumez la surface et laissez mijoter 5 min.

8 Dans un bol, délayez le *miso* avec un peu de soupe, puis mettez dans la casserole. Prolongez la cuisson 10 min, jusqu'à ce que les légumes soient tendres. Versez la sauce de soja, puis retirez du feu. Servez la soupe immédiatement, garnie de haricots mangetout.

MINESTRONE GÉNOIS

Les Génois confectionnent ainsi le minestrone, en ajoutant du pesto *en fin de cuisson. Composée d'une multitude de légumes aux puissants parfums, cette soupe constitue un excellent repas végétarien lorsqu'elle est servie avec du pain. Le* pesto *contenant du parmesan, il est inutile d'en parsemer la soupe.*

INGRÉDIENTS

Pour 4 à 6 personnes

2 branches de céleri
   finement hachées
1 belle carotte finement hachée
150 g/5 oz de haricots verts coupés
   en tronçons de 5 cm/2 po
1 courgette finement émincée
1 pomme de terre coupée en dés
   d'1 cm/$1/2$ po
$1/4$ de chou de Milan émincé
1 petite aubergine coupée en dés
   d'1 cm/$1/2$ po
200 g/7 oz de cocos blancs en
   conserve, rincés et égouttés
2 tomates roma hachées
45 ml/3 c. à soupe d'huile d'olive
1 oignon finement haché
1,2 l/2 pintes/5 tasses de bouillon
   de légumes
90 g/$31/2$ oz de vermicelle
sel et poivre noir fraîchement moulu

Pour le *pesto*

environ 20 feuilles de basilic frais
1 gousse d'ail
10 ml/2 c. à thé de pignons
15 ml/1 c. à soupe de parmesan
   fraîchement râpé
15 ml/1 c. à soupe de *pecorino*
   (fromage de chèvre sec)
   fraîchement râpé
30 ml/2 c. à soupe d'huile d'olive

1 Chauffez l'huile dans une grande casserole et faites revenir l'oignon, le céleri et la carotte 5 à 7 min à feu doux, en remuant fréquemment.

2 Incorporez les haricots verts, la courgette, la pomme de terre et le chou. Faites revenir 3 min à feu moyen, puis ajoutez l'aubergine, les cocos et les tomates, et laissez cuire 2 à 3 min.

3 Mouillez avec le bouillon et assaisonnez. Portez à ébullition, puis couvrez et baissez le feu. Faites mijoter 40 min, en tournant régulièrement.

4 Pendant ce temps, passez les ingrédients du *pesto* au mixer, en ajoutant 15 à 45 ml/1 à 3 c. à soupe d'eau si la sauce vous semble trop épaisse.

5 Incorporez le vermicelle dans la soupe. Laissez mijoter 5 min en remuant fréquemment. Ajoutez le *pesto,* mélangez bien et laissez cuire encore 2 à 3 min, jusqu'à ce que le vermicelle soit cuit. Rectifiez l'assaisonnement si besoin est, puis servez le minestrone dans des assiettes bien chaudes.

MINESTRONE ESTIVAL

*Cette soupe aux couleurs
vives et aux arômes d'été
tire merveilleusement profit
des légumes de saison.*

INGRÉDIENTS

Pour 4 personnes

450 g/1 lb de tomates roma bien
mûres, pelées et hachées

225 g/8 oz de courgettes vertes
coupées en dés

225 g/8 oz de courgettes jaunes
coupées en dés

3 pommes de terre coupées en dés

45 ml/3 c. à soupe d'huile d'olive

1 gros oignon finement haché

15ml/1 c. à soupe de purée de
tomates séchées

2 gousses d'ail écrasées

1,2 l/2 pintes/5 tasses de bouillon
de légumes ou d'eau

60 ml/4 c. à soupe de basilic
frais ciselé

50 g/2 oz/²/₃ tasse de parmesan râpé

sel et poivre noir fraîchement moulu

1 Chauffez l'huile dans une grande casserole et faites revenir l'oignon 5 min à feu doux, en remuant constamment.

2 Incorporez la purée de tomates, les tomates hachées, les courgettes, les pommes de terre et l'ail. Mélangez bien et faites cuire 10 min à feu doux, à découvert, en surveillant la cuisson pour éviter que les légumes n'attachent.

3 Versez le bouillon ou l'eau. Portez à ébullition, puis baissez le feu, couvrez partiellement et laissez mijoter 15 min, jusqu'à ce que les légumes soient juste tendres. Ajoutez du bouillon si nécessaire.

4 Hors du feu, incorporez le basilic et la moitié du parmesan. Goûtez et rectifiez l'assaisonnement. Servez le minestrone bien chaud, garni du reste de parmesan.

LAKSA AUX FRUITS DE MER

La préparation de cette soupe exotique demande un certain temps, mais la base peut se confectionner à l'avance.

INGRÉDIENTS

Pour 4 personnes

12 gambas pelées, veines ôtées

8 noix de Saint-Jacques

225 g/8 oz de calamars préparés et coupés en anneaux

4 piments rouges frais épépinés et grossièrement hachés

1 oignon grossièrement haché

1 morceau de *blachan* (pâte de crevettes), de la taille d'un bouillon-cube

1 tige de citronnelle hachée

1 petit morceau de gingembre frais, pelé et grossièrement haché

6 noix de macadamia ou 6 amandes

60 ml/4 c. à soupe d'huile végétale

5 ml/1 c. à thé de paprika

5 ml/1 c. à thé de curcuma moulu

475 ml/16 oz/2 tasses de fumet de poisson

600 ml/1 pinte/2½ tasses de lait de coco

sauce de poisson, selon le goût

350 g/12 oz de vermicelle de riz ou de nouilles de riz, ayant trempé dans de l'eau chaude

sel et poivre noir fraîchement moulu

citrons verts coupés en deux, pour l'accompagnement

Pour la garniture

¼ de concombre coupé en julienne

2 piments rouges frais épépinés et finement émincés

30 ml/2 c. à soupe de feuilles de menthe

30 ml/2 c. à soupe d'échalote ou d'oignon frit(e)

1 Mixez les piments, l'oignon, le *blachan,* la citronnelle, le gingembre et les noix de macadamia ou les amandes, en une pâte homogène.

2 Chauffez 45 ml/3 c. à soupe d'huile dans une cocotte et faites revenir cette pâte 6 min. Incorporez le paprika et le curcuma, et prolongez la cuisson 2 min.

3 Mouillez avec le fumet et le lait de coco. Portez à ébullition, puis laissez mijoter 15 à 20 min à feu doux. Assaisonnez de sauce de poisson.

4 Salez et poivrez les fruits de mer, puis faites-les revenir rapidement dans le reste d'huile pendant 2 à 3 min.

5 Ajoutez le vermicelle ou les nouilles dans la soupe et réchauffez. Répartissez la soupe dans des assiettes et garnissez de fruits de mer, puis de concombre, de piments, de menthe et d'échalote ou d'oignon frit(e). Accompagnez de demi-citrons verts.

SOUPE DE PÂTES AUX PALOURDES

INGRÉDIENTS

Pour 4 personnes

50 g/2 oz/$1/2$ tasse de petites pâtes
à potage

150 g/5 oz de palourdes au naturel
en conserve, dans leur jus

30 ml/2 c. à soupe d'huile d'olive

1 gros oignon finement haché

2 gousses d'ail écrasées

400 g/14 oz de tomates concassées
en conserve

15 ml/1 c. à soupe de purée de
tomates séchées

5 ml/1 c. à thé de sucre en poudre

5 ml/1 c. à thé de fines
herbes séchées

750 ml/$1 1/4$ pintes/3 tasses environ
de fumet de poisson ou de bouillon
de légumes

150 ml/$1/4$ pinte/$2/3$ tasse de
vin rouge

30 ml/2 c. à soupe de persil plat
frais finement haché, plus
quelques feuilles entières pour
la garniture

sel et poivre noir fraîchement moulu

1 Chauffez l'huile dans une cocotte et faites revenir l'oignon 5 min à feu doux, en remuant souvent.

2 Ajoutez l'ail, les tomates, la purée de tomates, le sucre, les fines herbes, le fumet ou le bouillon, le vin, le sel et le poivre. Portez à ébullition, puis baissez le feu, couvrez partiellement et laissez mijoter 10 min, en tournant de temps en temps.

3 Mettez les pâtes et prolongez la cuisson 10 min à découvert, jusqu'à ce qu'elles soient *al dente*. Remuez régulièrement pour éviter qu'elles n'attachent.

4 Incorporez les palourdes et leur jus, puis réchauffez le tout 3 à 4 min, en ajoutant un peu de fumet ou de bouillon si nécessaire. Ne faites pas bouillir, car les palourdes durciraient. Hors du feu, ajoutez le persil et rectifiez l'assaisonnement si besoin est. Servez la soupe chaude, garnie de poivre noir moulu et de feuilles de persil.

SOUPE DE CREVETTES À LA CRÉOLE

INGRÉDIENTS
Pour 4 personnes

675 g/1½ lb de crevettes crues non décortiquées, avec les têtes si possible
475 ml/16 oz/2 tasses d'eau
45 ml/3 c. à soupe d'huile végétale
175 g/6 oz/1½ tasses d'oignons finement hachés
75 g/3 oz/½ tasse de céleri finement haché
75 g/3 oz/½ tasse de poivron vert finement haché
25 g/1 oz/½ tasse de persil frais haché
1 gousse d'ail écrasée
15 ml/1 c. à soupe de sauce Worcestershire
1,5 ml/¼ c. à thé de piment de Cayenne
120 ml/4 oz/½ tasse de vin blanc sec
50 g/2 oz/1 tasse de tomates roma pelées et hachées
5 ml/1 c. à thé de sel
1 feuille de laurier
5 ml/1 c. à thé de sucre
persil frais, pour la garniture
riz cuit, pour l'accompagnement

1 Décortiquez les crevettes et ôtez les veines, en réservant les têtes et les carapaces. Gardez-les à couvert au réfrigérateur pendant que vous préparez la soupe.

2 Dans une grande casserole, mettez les têtes et les carapaces des crevettes avec l'eau. Portez à ébullition et laissez mijoter 15 min. Passez au tamis et réservez 350 ml/12 oz/1½ tasses du bouillon obtenu.

3 Chauffez l'huile dans une cocotte et faites fondre les oignons 8 à 10 min à feu doux. Ajoutez le céleri et le poivron vert, et prolongez la cuisson 5 min. Incorporez le persil, l'ail, la sauce Worcestershire et le piment de Cayenne. Laissez cuire encore 5 min.

4 Versez le vin et laissez mijoter 3 à 4 min à feu moyen. Ajoutez les tomates, le bouillon de crevettes, le sel, le laurier et le sucre, et portez à ébullition. Remuez bien, puis baissez le feu et poursuivez la cuisson 30 min environ, jusqu'à ce que les tomates se défassent et que la sauce soit légèrement réduite. Laissez refroidir hors du feu.

5 Jetez la feuille de laurier, puis passez la soupe au mixer. Goûtez et rectifiez l'assaisonnement.

6 Remettez la soupe aux tomates dans la casserole et portez à ébullition. Incorporez les crevettes et laissez mijoter 4 à 5 min, jusqu'à ce qu'elles rosissent. Servez la soupe dans des assiettes, garnie de persil frais et accompagnée de riz.

SOUPE DE POISSON À LA CRÈME

Cette soupe traditionnelle est toujours bien accueillie, qu'elle soit faite avec du lait ou, pour une texture plus riche, avec une généreuse quantité de crème liquide.

INGRÉDIENTS

Pour 4 personnes

450 g/1 lb d'églefin écaillé, coupé
  en dés de 2,5 cm/1 po
300 ml/$\frac{1}{2}$ pinte/1$\frac{1}{4}$ tasses de
  crème fleurette ou de lait entier
3 tranches de bacon épaisses
1 gros oignon
675 g/1$\frac{1}{2}$ lb de pommes de terre
1 l/1$\frac{3}{4}$ pintes/4 tasses de fumet
  de poisson
30 ml/2 c. à soupe de persil
  frais haché
15 ml/1 c. à soupe de ciboulette
  fraîche ciselée
sel et poivre noir fraîchement moulu

1 Coupez le bacon en petits morceaux. Pelez et hachez l'oignon, et détaillez les pommes de terre en dés de 2 cm/$\frac{3}{4}$ po.

2 Faites frire le bacon dans une cocotte, puis ajoutez l'oignon et les pommes de terre. Poursuivez la cuisson 10 min environ à feu doux, sans les laisser brunir. Assaisonnez.

3 Éliminez l'excédent de graisse présent dans la cocotte, versez le fumet de poisson, puis portez à ébullition. Laissez mijoter 15 à 20 min, jusqu'à ce que les légumes soient tendres.

4 Incorporez le poisson, le persil et la ciboulette. Prolongez la cuisson 3 à 4 min, jusqu'à ce que le poisson soit cuit.

5 Ajoutez la crème ou le lait et réchauffez le tout à feu doux, sans faire bouillir. Assaisonnez à votre goût et servez la soupe aussitôt.

VARIANTE
Cette soupe peut également être réalisée avec des filets de morue ou, pour un goût plus prononcé, du haddock.

BOUILLABAISSE

Probablement l'une des soupes
méditerranéennes les plus réputées,
cette recette originaire de Marseille
marie poissons et crustacés,
et doit son parfum à la tomate,
au safran et à l'orange.

INGRÉDIENTS

Pour 4 à 6 personnes

1,5 kg/3 à 3½ lb de poissons divers
   et de crustacés crus (rouget
   barbet, saint-pierre, lotte, vive,
   merlan, grosses crevettes et
   palourdes, par exemple)
1,2 l/2 pintes/5 tasses d'eau
225 g/8 oz de tomates
   bien parfumées
1 pincée de filaments de safran
90 ml/6 c. à soupe d'huile d'olive
1 oignon émincé
1 poireau émincé
1 branche de céleri émincée
2 gousses d'ail écrasées
1 bouquet garni
1 morceau de zeste d'orange
2.5 ml/½ c. à thé de graines
   de fenouil
15 ml/1 c. à soupe de concentré
   de tomates
10 ml/2 c. à thé de pastis
sel et poivre noir fraîchement moulu
45 ml/3 c. à soupe de persil frais
   haché, pour la garniture
pain, pour l'accompagnement

REMARQUE

Le safran provient des pistils
orange et rouges d'une variété
de crocus ; son prix extrêmement
élevé se justifie par le fait que
cet aromate doit être récolté à
la main. Toutefois, son goût est
incomparable et rien ne peut le
remplacer. C'est un ingrédient
essentiel de la bouillabaisse qui ne
doit en aucun cas être omis.

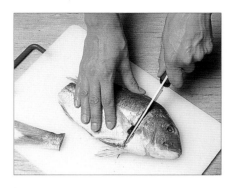

1 Retirez la tête, la queue et les nageoires des poissons et réservez les corps. Mettez les parures dans une grande casserole avec l'eau. Portez à ébullition et laissez mijoter 15 min. Égouttez et réservez le fumet de poisson obtenu.

2 Coupez les poissons en gros morceaux. Gardez les crustacés dans leurs coquilles. Ébouillantez les tomates, égouttez-les et rafraîchissez-les. Pelez-les et émincez-les. Faites tremper le safran dans 15 à 30 ml/1 à 2 c. à soupe d'eau chaude.

3 Chauffez l'huile dans une sauteuse et faites revenir l'oignon, le poireau et le céleri. Ajoutez l'ail, le bouquet garni, le zeste d'orange, les graines de fenouil et les tomates hachées, puis le safran et son eau de trempage, ainsi que le fumet de poisson. Assaisonnez, puis portez à ébullition et laissez mijoter 30 à 40 min.

4 Incorporez les crustacés et faites bouillir 6 min. Ajoutez les morceaux de poissons et prolongez la cuisson 6 à 8 min, jusqu'à ce qu'ils s'émiettent facilement.

5 À l'aide d'une écumoire, transférez le poisson dans une soupière chaude. Laissez bouillir la soupe afin que l'huile s'émulsionne avec le bouillon. Incorporez le concentré de tomates et le pastis, puis vérifiez l'assaisonnement.

6 Répartissez la bouillabaisse dans des assiettes chaudes. Garnissez de persil et accompagnez de pain.

SOUPE DE POISSON PROVENÇALE AUX PÂTES

Cette soupe multicolore exhale tous les parfums de la Méditerranée.

INGRÉDIENTS

Pour 4 personnes

450 g/1 lb de poisson blanc (morue, carrelet ou lotte, par exemple) en filets écaillés

115 g/4 oz de petites pâtes

30 ml/2 c. à soupe d'huile d'olive

1 oignon émincé

1 gousse d'ail écrasée

1 poireau émincé

1 l/1¾ pintes/4 tasses d'eau

225 g/8 oz de tomates concassées en conserve

1 pincée d'herbes de Provence

1,5 ml/¼ c. à thé de filaments de safran (facultatif)

environ 8 moules crues dans leurs coquilles

sel et poivre noir fraîchement moulu

Pour la rouille

2 gousses d'ail écrasées

1 *pimiento* en conserve, égoutté et haché

15 ml/1 c. à soupe de mie de pain émiettée

60 ml/4 c. à soupe de mayonnaise

pain grillé, pour l'accompagnement

1 Chauffez l'huile dans une grande casserole et ajoutez l'oignon, l'ail et le poireau. Couvrez et faites cuire 5 min à feu doux, en remuant de temps en temps, jusqu'à ce que les légumes soient tendres.

2 Incorporez l'eau, les tomates, les herbes, le safran le cas échéant, et les pâtes. Assaisonnez et laissez mijoter 15 à 20 min.

3 Nettoyez et ébarbez les moules. Jetez celles qui ne se ferment pas quand on les tape avec un couteau.

4 Coupez le poisson en morceaux. Plongez-le dans la soupe, avec les moules par-dessus. Laissez cuire 5 à 10 min, jusqu'à ce que les moules s'ouvrent et que le poisson soit cuit. Jetez les moules fermées.

5 Pour préparer la rouille, broyez l'ail, le *pimiento* et la mie de pain dans un mortier avec un pilon (ou au mixer). Incorporez la mayonnaise et assaisonnez bien.

6 Tartinez le pain grillé de rouille et servez-le avec la soupe.

SOUPE DU PÊCHEUR

Le mélange de poisson et de lardons se révèle ici tout simplement délicieux.

INGRÉDIENTS
Pour 4 personnes

675 à 900 g/1¹/₂ à 2 lb de filets de poisson blanc sans la peau, coupés en gros morceaux
6 tranches de poitrine fumée détaillées en lardons
15 g/¹/₂ oz/1 c. à soupe de beurre
1 gros oignon haché
1 gousse d'ail finement hachée
30 ml/2 c. à soupe de persil frais haché
5 ml/1 c. à thé de feuilles de thym frais ou 2,5 ml/¹/₂ c. à thé de thym séché
450 g/1 lb de tomates pelées, épépinées et hachées
150 ml/¹/₄ pinte/²/₃ tasse de vermouth sec ou de vin blanc
450 ml/³/₄ pinte/scant 2 tasses de fumet de poisson
300 g/11 oz de pommes de terre coupées en dés
sel et poivre noir fraîchement moulu
persil plat frais, pour la garniture

1 Faites revenir les lardons dans une grande casserole à feu moyen, jusqu'à ce qu'ils soient juste dorés. Égouttez sur du papier absorbant.

2 Mettez le beurre dans la casserole et faites revenir l'oignon 3 à 5 min, en remuant de temps en temps. Ajoutez l'ail et les herbes, puis prolongez la cuisson 1 min. Incorporez les tomates, le vermouth ou le vin et le fumet, et portez à ébullition.

3 Baissez le feu, couvrez et laissez mijoter 15 min. Ajoutez les pommes de terre, couvrez à nouveau et poursuivez la cuisson 10 à 12 min, jusqu'à ce que celles-ci soient presque tendres.

CONSEIL
En hiver, lorsque les tomates manquent de goût, on peut les remplacer par des tomates pelées en conserve.
La soupe aura un goût un peu différent, mais tout aussi délicieux.

4 Incorporez le poisson et les lardons. Laissez frémir la soupe 5 min à feu doux, à découvert, jusqu'à ce que le poisson et les pommes de terre soient cuits. Rectifiez l'assaisonnement, garnissez de persil et servez.

SOUPE DE MAÏS ET DE POMMES DE TERRE

Le maïs doux s'associe délicatement à la dinde fumée et aux pâtes dans cette soupe substantielle, parfaite pour assouvir les grandes faims.

INGRÉDIENTS

Pour 6 à 8 personnes

350 g/12 oz/2 tasses de maïs doux
    en conserve ou surgelé
450 g/1 lb de pommes de terre
    coupées en dés
1 petit poivron vert
1 oignon haché
1 branche de céleri hachée
1 bouquet garni
600 ml/1 pinte/2¹⁄₂ tasses de
    bouillon de volaille
300 ml/¹⁄₂ pinte/1¹⁄₄ tasses de lait
    écrémé
50 g/2 oz de *conchigliette*
huile
150 g/5 oz de tranches de dinde
    fumée coupées en dés
sel et poivre noir fraîchement moulu
gressins, pour l'accompagnement

1 Épépinez le poivron et détaillez-le en dés. Couvrez-le d'eau bouillante et laissez tremper 2 min. Égouttez-le et rincez-le.

2 Mettez les pommes de terre dans une casserole avec le maïs, l'oignon, le céleri, le poivron, le bouquet garni et le bouillon. Portez à ébullition, puis couvrez et laissez mijoter 20 min.

3 Mouillez avec le lait et assaisonnez. Passez la moitié de la soupe au mixer, puis remettez-la dans la casserole avec les pâtes. Laissez mijoter 10 min, jusqu'à ce que les pâtes soient *al dente*.

4 Chauffez l'huile dans une poêle antiadhésive et faites revenir les dés de dinde 2 à 3 min en mélangeant. Incorporez-les dans la casserole. Servez la soupe accompagnée de gressins.

SOUPE THAÏLANDAISE AU POULET

Cette soupe exhale les arômes traditionnels de la Thaïlande.

INGRÉDIENTS

Pour 4 personnes

2 blancs de poulet (de 175 g/6 oz chacun), sans la peau et hachés

15 ml/1 c. à soupe d'huile végétale

1 gousse d'ail finement hachée

2.5 ml/½ c. à thé de curcuma

2 pincées de piment fort en poudre

75 g/3 oz/½ tasse de crème de coco

900 ml/1½ pintes/3¾ tasses de bouillon de volaille chaud

30 ml/2 c. à soupe de jus de citron jaune ou vert

30 ml/2 c. à soupe de beurre de cacahuètes (avec des morceaux)

50 g/2 oz/1 tasse de nouilles aux œufs fines, brisées en petits morceaux

15ml/1 c. à soupe d'oignons nouveaux hachés

15ml/1 c. à soupe de coriandre fraîche hachée

sel et poivre noir fraîchement moulu

noix de coco séchée et piment rouge frais finement haché, pour la garniture

1 Chauffez l'huile dans une grande casserole et faites dorer l'ail 1 min. Ajoutez le poulet et les épices. Faites revenir 3 à 4 min en remuant.

2 Émiettez la crème de coco dans le bouillon chaud et mélangez bien pour la dissoudre. Versez sur le poulet, puis incorporez le jus de citron, le beurre de cacahuètes et les nouilles.

3 Couvrez et laissez mijoter 15 min. Ajoutez les oignons nouveaux et la coriandre, assaisonnez bien et prolongez la cuisson de 5 min, sur feu doux.

4 Dans le même temps, chauffez 2 à 3 min la noix de coco séchée et le piment dans une petite poêle, en remuant souvent, afin que la noix de coco soit légèrement dorée.

5 Répartissez la soupe dans des assiettes. Garnissez de noix de coco et de piment sautés.

SOUPE DE POULET AUX TOMATES

INGRÉDIENTS

Pour 4 personnes

225 g/8 oz de blanc de poulet sans
　la peau

400 g/14 oz boite de tomates pelées
　en conserve, réduites en purée

1 gousse d'ail écrasée

1 pincée de muscade
　fraîchement râpée

25 g/1 oz/2 c. à soupe de beurre ou
　de margarine

1/2 oignon finement haché

15 ml/1 c. à soupe de concentré
　de tomates

1,2 l/2 pintes/5 tasses de bouillon
　de volaille

1 piment frais épépiné et haché

1 chayote pelée et coupée en dés
　(environ 350 g/12 oz)

5 ml/1 c. à thé d'origan séché

2,5 ml/1/2 c. à thé de thym séché

50 g/2 oz de filet de haddock écaillé
　et coupé en dés

sel et poivre noir fraîchement moulu

ciboulette fraîche ciselée,
　pour la garniture

1 Coupez le poulet en dés, mettez ceux-ci dans une jatte et assaisonnez de sel, de poivre, d'ail et de muscade. Mélangez bien et laissez macérer 30 min environ.

2 Chauffez le beurre ou la margarine dans une grande casserole et faites sauter le poulet 5 à 6 min à feu moyen. Incorporez l'oignon et laissez-le fondre 5 min à feu doux.

3 Ajoutez le concentré et la purée de tomates, le bouillon, le piment, la chayote et les fines herbes. Portez à ébullition, couvrez et laissez mijoter 35 min à feu doux, jusqu'à ce que la chayote soit tendre.

4 Incorporez le haddock et prolongez la cuisson 5 min, jusqu'à ce qu'il soit cuit. Rectifiez l'assaisonnement et répartissez la soupe dans des assiettes chaudes. Garnissez d'un peu de ciboulette.

SOUPE RUSTIQUE AU POULET

*Cette épaisse soupe de poulet
aux poireaux se sert avec
des croûtons à l'ail.*

INGRÉDIENTS

Pour 4 personnes

4 cuisses de poulet désossées
et sans la peau

15 g/½ oz/1 c. à soupe de beurre

2 petits poireaux finement émincés

25 g/1 oz/2 c. à soupe de riz long

900 ml/1½ pintes/3¾ tasses
de bouillon de volaille

15 ml/1 c. à soupe de persil
et de menthe hachés

sel et poivre noir fraîchement moulu

Pour les croûtons à l'ail

30 ml/2 c. à soupe d'huile d'olive

1 gousse d'ail écrasée

4 tranches de pain coupées en dés

1 Détaillez le poulet en dés
d'1 cm/½ po. Chauffez le beurre
dans une casserole et faites revenir les poireaux. Incorporez le riz
et le poulet, et laissez cuire 2 min.

2 Mouillez avec le bouillon, puis
couvrez et faites mijoter 15 à
20 min.

3 Pour les croûtons à l'ail, chauffez l'huile dans une grande poêle.
Mettez l'ail et les dés de pain à
dorer, sans cesser de remuer.
Égouttez les croûtons sur du papier
absorbant et saupoudrez d'1 pincée de sel.

4 Incorporez le persil et la menthe
dans la soupe et rectifiez l'assaisonnement. Servez la soupe garnie de croûtons à l'ail.

NOUILLES CHINOISES AU BOUILLON

*Adaptez cette recette selon
les ingrédients dont vous disposez.*

INGRÉDIENTS

Pour 4 personnes

350 g/12 oz de nouilles aux
    œufs sèches
600 ml/1 pinte/2$\frac{1}{2}$ tasses de
    bouillon de base chinois
    (voir p. 14)
225 g/8 oz de blanc de poulet
    ou de filet de porc
3 à 4 champignons *shiitake*
    ayant trempé dans de l'eau
115 g/4 oz de pousses de bambou en
    conserve, égouttées et émincées
115 g/4 oz d'épinards, de cœurs de
    laitue ou de légumes à
    feuilles chinois
2 oignons nouveaux
30 ml/2 c. à soupe d'huile végétale
5 ml/1 c. à thé de sel
2.5 ml/$\frac{1}{2}$ c. à thé de sucre roux
15 ml/1 c. à soupe de sauce de
    soja claire
10 ml/2 c. à thé de vin de riz chinois
    ou de xérès sec
quelques gouttes d'huile de sésame
sauce pimentée, pour
    l'accompagnement

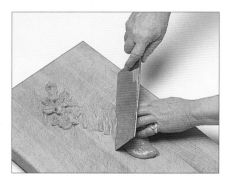

1. Émincez finement la viande.
Égouttez les champignons, puis
éliminez les pieds. Hachez-les
finement, ainsi que les pousses
de bambou, les légumes et les
oignons nouveaux.

2 Faites cuire les nouilles à l'eau
bouillante selon les instructions
du paquet, puis égouttez-les et
rincez-les à l'eau froide. Transférez-les dans une jatte.

3 Portez le bouillon à ébullition et
versez-le sur les nouilles. Réservez au chaud.

4 Chauffez l'huile dans un wok
préchauffé, puis faites revenir la
moitié des oignons nouveaux et la
viande 1 min en remuant.

5 Faites sauter les champignons,
les légumes verts et les pousses de
bambou 1 min. Incorporez le sel,
le sucre roux, la sauce de soja et
le vin de riz ou le xérès, et remuez.

6 Versez le mélange sur les nouilles, garnissez du reste d'oignons
nouveaux et de quelques gouttes
d'huile de sésame. Répartissez la
soupe dans des assiettes creuses
et proposez la sauce pimentée
dans une coupelle à part.

SOUPE AUX NOUILLES DE CHIANG MAÏ

Cette délicieuse soupe aux nouilles possède des origines birmanes.

INGRÉDIENTS

Pour 4 à 6 personnes

450 g/1 lb de nouilles aux œufs fraîches, rapidement blanchies à l'eau bouillante

600 ml/1 pinte/2½ tasses de lait de coco

30 ml/2 c. à soupe de pâte de curry rouge

5 ml/1 c. à thé de curcuma moulu

450 g/1 lb de cuisses de poulet désossées et coupées en morceaux

600 ml/1 pinte/2½ tasses de bouillon de volaille

60 ml/4 c. à soupe de sauce de poisson

15 ml/1 c. à soupe de sauce de soja noire

le jus d'½ à 1 citron vert

sel et poivre noir fraîchement moulu

Pour la garniture

3 oignons nouveaux hachés

4 piments rouges frais hachés

4 échalotes hachées

60 ml/4 c. à soupe de feuilles de moutarde en saumure, rincées et émincées

30 ml/2 c. à soupe d'ail émincé et frit

quelques feuilles de coriandre fraîche

4 nids de nouilles frits (facultatif)

1 Dans une grande casserole, portez ⅓ du lait de coco à ébullition, en remuant souvent avec une cuillère en bois, jusqu'à ce qu'il prenne un aspect caillé.

2 Ajoutez la pâte de curry et le curcuma. Mélangez bien et faites cuire jusqu'à ce que les arômes s'exhalent.

3 Incorporez le poulet et faites-le revenir 2 min environ, en veillant à ce que tous les morceaux soient enduits de pâte.

4 Mouillez avec le reste de lait de coco, le bouillon de volaille, la sauce de poisson et la sauce de soja. Assaisonnez et laissez mijoter 7 à 10 min à feu doux. Hors du feu, ajoutez le jus de citron vert.

5 Réchauffez les nouilles à l'eau bouillante, égouttez-les et répartissez-les dans des bols avec le poulet. Versez la soupe chaude dessus et parsemez chaque bol d'un peu des différentes garnitures.

SOUPE DE POULET AU VERMICELLE

Au Maroc, la cuisinière prépare cette soupe avec un poulet entier afin de satisfaire l'appétit de sa nombreuse famille.

INGRÉDIENTS

Pour 4 à 6 personnes

2 cuisses ou 2 blancs de poulet, coupé(e)s en deux ou en quatre
150 g/5 oz de vermicelle
30 ml/2 c. à soupe d'huile de tournesol
15 g/$^1/_2$ oz/1 c. à soupe de beurre
1 oignon haché
farine
2 carottes coupées en tronçons de 4 cm/1$^1/_2$ po
1 panais coupé en tronçons de 4 cm/1$^1/_2$ po
1,5 l/2$^1/_2$ pintes/6$^1/_4$ tasses de bouillon de volaille
1 bâton de cannelle
1 généreuse pincée de paprika
1 pincée de filaments de safran
2 jaunes d'œufs
le jus d'$^1/_2$ citron
30 ml/2 c. à soupe de coriandre fraîche hachée
30 ml/2 c. à soupe de persil frais haché
sel et poivre noir fraîchement moulu

1 Chauffez l'huile et le beurre dans une cocotte et faites revenir l'oignon 3 à 4 min. Saupoudrez les morceaux de poulet de farine, salez et poivrez, puis mettez-les à dorer sur feu doux.

2 Transférez le poulet dans un plat et réunissez les carottes et le panais dans la cocotte. Faites-les cuire doucement 3 à 4 min, en mélangeant fréquemment, puis remettez le poulet dans la cocotte. Ajoutez le bouillon, la cannelle et le paprika, et assaisonnez bien.

3 Portez la soupe à ébullition, puis couvrez et laissez mijoter 1 h, jusqu'à ce que les légumes soient très tendres.

4 Pendant ce temps, délayez le safran dans 30 ml/2 c. à soupe d'eau bouillante. Dans un autre bol, battez les jaunes d'œufs avec le jus de citron, et ajoutez la coriandre et le persil. Incorporez à ce mélange l'eau safranée refroidie,

5 Lorsque les légumes sont tendres, disposez le poulet dans un plat. Ôtez l'excédent de graisse de la soupe, puis augmentez un peu le feu et incorporez le vermicelle. Laissez cuire 5 à 6 min, jusqu'à ce qu'il soit tendre. Pendant ce temps, retirez la peau et les os du poulet et hachez la chair en morceaux.

6 Quand le vermicelle est cuit, ajoutez les morceaux de poulet et le mélange aux œufs. Faites cuire 1 à 2 min à feu doux, sans cesser de remuer. Rectifiez l'assaisonnement et servez.

POTAGE DE POULET AU CURRY

INGRÉDIENTS

Pour 4 personnes

2 belles ailes entières de poulet
   (environ 350 g/12 oz chacune)
15 ml/1 c. à soupe de curry
   en poudre
50 g/2 oz/4 c. à soupe de beurre ou
   60 ml/4 c. à soupe d'huile
1 oignon haché
1 carotte hachée
1 petit navet haché
4 clous de girofle
6 grains de poivre noir
   légèrement écrasés
50 g/2 oz/$\frac{1}{4}$ tasse de lentilles
900 ml/1$\frac{1}{2}$ pintes/3$\frac{3}{4}$ tasses de
   bouillon de volaille
40 g/1$\frac{1}{2}$ oz/$\frac{1}{4}$ tasse de raisins
   de Smyrne
sel et poivre noir fraîchement moulu

1 Chauffez le beurre ou l'huile dans une grande casserole, puis faites dorer le poulet à feu vif. Transférez le poulet dans un plat et réservez.

2 Mettez l'oignon, la carotte et le navet dans la casserole et faites-les revenir en remuant de temps en temps. Incorporez le curry, les clous de girofle et les grains de poivre, et prolongez la cuisson 1 à 2 min. Ajoutez les lentilles.

3 Versez le bouillon, portez à ébullition, puis incorporez les raisins, le poulet et son jus. Couvrez et laissez mijoter environ 1 h 15 à feu doux.

CONSEIL
Pour une soupe joliment colorée, choisissez des lentilles orange ; toutefois, les lentilles vertes ou brunes feront parfaitement l'affaire.

4 Retirez le poulet de la casserole et ôtez la peau et les os. Hachez la chair et remettez-la dans la casserole. Réchauffez le tout, vérifiez l'assaisonnement, puis servez la soupe bien chaude.

SOUPE À LA DINDE FUMÉE ET AUX LENTILLES

Les lentilles rehaussent le goût
de la dinde fumée.

INGRÉDIENTS

Pour 4 personnes

75 g/3 oz de dinde fumée coupée
  en dés
115 g/4 oz/½ tasse de lentilles
25 g/1 oz/2 c. à soupe de beurre
1 belle carotte hachée
1 oignon haché
1 poireau haché (partie
  blanche uniquement)
1 branche de céleri hachée
115 g/4 oz/1½ tasses de
  champignons de Paris hachés
50 ml/2 oz/¼ tasse de vin blanc sec
1,2 l/2 pintes/5 tasses de bouillon
  de volaille
10 ml/2 c. à thé de thym séché
1 feuille de laurier
sel et poivre noir fraîchement moulu

1 Chauffez le beurre dans une grande casserole, puis mettez à revenir la carotte, l'oignon, le poireau, le céleri et les champignons hachés 3 à 5 min.

2 Versez le vin et le bouillon. Portez à ébullition et écumez la surface. Ajoutez le thym et le laurier. Baissez le feu, couvrez et laissez mijoter 30 min à feu doux.

3 Incorporez les lentilles, couvrez et prolongez la cuisson 30 à 40 min, jusqu'à ce qu'elles soient tendres. Remuez de temps en temps.

4 Ajoutez la dinde et assaisonnez. Réchauffez bien la soupe avant de la répartir dans des assiettes.

BOUILLON DE POULET AUX PRUNEAUX

Cette recette traditionnelle anglaise, connue depuis 1598 sous le nom de Cock-a-Leekie, incluait à l'origine du bœuf en plus du poulet. On la confectionnait avec un vieux coq, d'où son nom.

INGRÉDIENTS

Pour 4 personnes

2 morceaux de poulet (d'environ 275 g/10 oz chacun)

8 à 12 pruneaux ayant trempé dans de l'eau

1,2 l/2 pintes/5 tasses de bouillon de volaille

1 bouquet garni

4 poireaux

sel et poivre noir fraîchement moulu

1 Mettez les morceaux de poulet dans une casserole avec le bouillon et le bouquet garni. Portez à ébullition et laissez mijoter 40 min à feu doux.

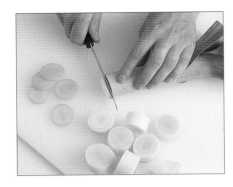

2 Détaillez la partie blanche des poireaux en tronçons de 2,5 cm/ 1 po et émincez finement la partie verte.

3 Incorporez les blancs de poireaux et les pruneaux dans la casserole, puis faites cuire 20 min à feu doux avant d'ajouter la partie verte des poireaux. Prolongez la cuisson 10 à 15 min.

4 Jetez le bouquet garni. Sortez le poulet de la casserole, retirez la peau et les os, puis hachez la chair. Remettez la chair dans la soupe et assaisonnez.

5 Réchauffez la soupe à feu doux, répartissez-la dans des assiettes et servez.

SOUPE D'AGNEAU À L'ORGE

Chaleureuse et nourrissante, cette soupe — appelée Scotch Broth *en Écosse — constitue un délicieux repas complet.*

INGRÉDIENTS

Pour 6 personnes

900 g/2 lb de collier d'agneau maigre, coupé en gros morceaux égaux

50 g/2 oz/1/4 tasse d'orge perlé

1,75 l/3 pintes/7 1/2 tasses d'eau

1 gros oignon haché

1 bouquet garni

1 belle carotte hachée

1 navet haché

3 poireaux hachés

1/2 petit chou blanc émincé

sel et poivre noir fraîchement moulu

persil frais haché, pour la garniture (facultatif)

1 Réunissez l'agneau et l'eau dans une grande cocotte, et portez à ébullition. Écumez la surface, puis incorporez l'oignon, l'orge perlé et le bouquet garni.

2 Remettez la soupe à bouillir, puis couvrez partiellement et laissez mijoter 1 h à feu doux. Ajoutez le reste des légumes, assaisonnez, puis portez à ébullition. Couvrez et poursuivez la cuisson 35 min environ, jusqu'à ce que les légumes soient tendres.

3 Ôtez l'excédent de graisse de la soupe. Servez-la bien chaude, éventuellement parsemée de persil haché.

SOUPE D'AGNEAU AU POTIRON

INGRÉDIENTS

Pour 4 personnes

675 g/1½ lb de collier d'agneau coupé en morceaux moyens

225 g/8 oz de potiron coupé en dés

115 g/4 oz/²/₃ tasse de cornilles cassées, ayant trempé dans de l'eau 1 à 2 h ou toute la nuit

5 ml/1 c. à thé de thym frais haché ou 2.5 ml/½ c. à thé de thym séché

2 feuilles de laurier

1,2 l/2 pintes/5 tasses de bouillon de légumes ou d'eau

1 oignon émincé

2 gousses de cardamome noire

7.5 ml/1½ c. à thé de curcuma moulu

15 ml/1 c. à soupe de coriandre fraîche hachée

2.5 ml/½ c. à thé de graines de carvi

1 piment vert frais épépiné et haché

2 bananes vertes

1 carotte

sel et poivre noir fraîchement moulu

3 Dans le même temps, réunissez l'agneau, le thym, le laurier et le bouillon ou l'eau dans une cocotte, et portez à ébullition. Couvrez et poursuivez la cuisson 1 h à feu moyen.

4 Ajoutez l'oignon, le potiron, la cardamome, le curcuma, la coriandre, le carvi, le piment, du sel et du poivre. Mélangez bien et portez de nouveau à ébullition. Laissez frémir 15 min à découvert, en remuant de temps en temps, jusqu'à ce que le potiron soit tendre.

5 Quand les cornilles ont refroidi, passez-les au mixer avec leur eau de cuisson.

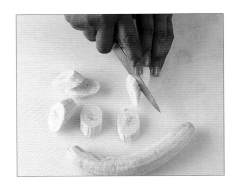

6 Pelez les bananes et coupez-les en rondelles. Détaillez la carotte en tronçons d'1 cm. Incorporez les bananes et la carotte à la soupe avec la purée de cornilles et prolongez la cuisson de 10 à 12 min, jusqu'à ce que la carotte soit tendre. Rectifiez l'assaisonnement et servez la soupe immédiatement.

1 Égouttez bien les cornilles, puis mettez-les dans une casserole d'eau fraîche.

2 Portez à ébullition et faites bouillir 10 min. Baissez le feu et laissez mijoter 40 à 50 min, à couvert, jusqu'à ce que les cornilles soient tendres, en ajoutant de l'eau si nécessaire. Retirez la casserole du feu et laissez refroidir.

SOUPE D'AGNEAU AUX LENTILLES

L'agneau et les lentilles s'accordent si bien qu'on les dirait faits l'un pour l'autre.

INGRÉDIENTS

Pour 4 personnes

900 g/2 lb de collier d'agneau coupé en morceaux

175 g/6 oz/³/₄ tasse de lentilles orange

1,5 l/2¹/₂ pintes/6¹/₄ tasses de bouillon d'agneau ou d'eau

¹/₂ oignon haché

1 gousse d'ail écrasée

1 feuille de laurier

1 clou de girofle

2 brins de thym frais

225 g/8 oz de pommes de terre coupées en dés de 2,5 cm/1 po

sel et poivre noir fraîchement moulu

persil frais haché

1 Dans une grande casserole, réunissez 1,2 l/2 pintes/5 tasses environ de bouillon ou d'eau, l'agneau, l'oignon, l'ail, le laurier, le clou de girofle et le thym. Portez à ébullition, puis laissez mijoter 1 h environ, jusqu'à ce que l'agneau soit tendre.

CONSEIL

Les lentilles orange n'ont pas besoin de trempage avant cuisson : il suffit de les trier pour ôter tout résidu sableux et de les rincer abondamment.

2 Ajoutez les pommes de terre et les lentilles, puis salez légèrement et poivrez généreusement. Couvrez l'agneau et les légumes avec le reste de bouillon (il faudra peut-être en ajouter si la soupe devient trop épaisse).

3 Laissez mijoter 25 min, jusqu'à ce que les lentilles soient parfaitement cuites. Goûtez et rectifiez l'assaisonnement. Incorporez le persil frais haché et servez.

HARIRA MAROCAINE

INGRÉDIENTS
Pour 4 personnes
225 g/8 oz d'agneau coupé en dés
   d'1 cm/1/2 po
450 g/1 lb de tomates
   bien parfumées
25 g/1 oz/2 c. à soupe de beurre
1 oignon haché
60 ml/4 c. à soupe de coriandre
   fraîche hachée
30 ml/2 c. à soupe de persil
   frais haché
2.5 ml/1/2 c. à thé de curcuma moulu
2.5 ml/1/2 c. à thé de
   cannelle moulue
50 g/2 oz/1/4 tasse de lentilles orange
75 g/3 oz/1/2 tasse de pois chiches,
   ayant trempé dans de l'eau toute
   la nuit
600 ml/1 pinte/2 1/2 tasses d'eau
4 petits oignons blancs
   ou 4 petites échalotes pelé(e)s
25 g/1 oz/1/4 tasse de vermicelle
sel et poivre noir fraîchement moulu
Pour la garniture
   coriandre fraîche hachée
   quartiers de citron
   cannelle moulue

2 Pelez éventuellement les tomates en les plongeant quelques
secondes dans de l'eau bouillante.
Laissez-les refroidir un peu avant
de les peler, puis coupez-les en
quartiers et mettez-les dans la
cocotte avec les épices.

3 Rincez les lentilles à l'eau froide
et égouttez les pois chiches.
Mettez-les dans la cocotte avec
l'eau et assaisonnez. Portez à ébullition, couvrez et laissez mijoter
1 h 30 à feu doux.

4 Incorporez les petits oignons ou
les échalotes et prolongez la cuisson de 30 min. Ajoutez le vermicelle 5 min avant la fin de la cuisson. Servez la *harira* garnie de
coriandre fraîche hachée, de quartiers de citron et de cannelle.

1 Chauffez le beurre dans une
grande cocotte, puis faites revenir
l'agneau et l'oignon 5 min, en
remuant fréquemment.

SOUPE D'ÉPINARDS AUX BOULETTES DE VIANDE

Cette soupe, appelée Aarshe saak, *est un plat classique de nombreuses régions du Moyen-Orient. En Grèce, elle prend le nom d'*Avgolemono.

INGRÉDIENTS
Pour 6 personnes
450 g/1 lb d'épinards hachés
225 g/8 oz d'agneau haché
2 gros oignons
45 ml/3 c. à soupe d'huile
15 ml/1 c. à soupe de
   curcuma moulu
115 g/4 oz/½ tasse de pois
   cassés jaunes
1,2 l/2 pintes/5 tasses d'eau
50 g/2 oz/½ tasse de farine de riz
le jus de 2 citrons
1 à 2 gousse(s) d'ail finement hachée(s)
30 ml/2 c. à soupe de menthe
   fraîche hachée
4 œufs battus
sel et poivre noir fraîchement moulu
brins de menthe fraîche,
   pour la garniture

1 Émincez un des oignons et faites-le revenir dans une cocotte avec 30 ml/2 c. à soupe d'huile. Ajoutez le curcuma, les pois cassés et l'eau, puis portez à ébullition. Laissez mijoter 20 min.

2 Râpez le deuxième oignon dans une jatte, incorporez l'agneau et l'assaisonnement. Mélangez bien. Façonnez des petites boulettes de la taille d'une noix. Plongez-les délicatement dans la cocotte et faites-les cuire 10 min. Ajoutez les épinards, couvrez et prolongez la cuisson 20 min.

3 Mélangez la farine avec 250 ml/ 8 oz/1 tasse d'eau froide pour obtenir une pâte lisse. Incorporez-la peu à peu dans la cocotte, sans cesser de remuer. Versez le jus de citron, assaisonnez et faites cuire 20 min à feu doux.

4 Pendant ce temps, chauffez le reste d'huile dans une petite poêle et faites revenir l'ail brièvement. Ajoutez la menthe et retirez la poêle du feu.

5 Ôtez la cocotte du feu et incorporez les œufs battus. Parsemez la soupe du mélange d'ail et de menthe, et garnissez-la de brins de menthe. Servez immédiatement.

SOUPE DE COCOS ROSES AUX PÂTES

Cette soupe italienne est connue sous le nom de Minestrone di pasta e fagioli. *La recette traditionnelle utilise des haricots secs et un os de jambon.*

INGRÉDIENTS

Pour 4 à 6 personnes

400 g/14 oz de cocos roses en conserve, rincés et égouttés

90 g/3$^{1/2}$ oz/$^{7/8}$ tasse de petites pâtes

30 ml/2 c. à soupe d'huile d'olive

115 g/4 oz/$^{2/3}$ tasse de *pancetta* ou de poitrine fumée découennée, coupée en dés

1 oignon

1 carotte

1 branche de céleri

1,75 l/3 pintes/7$^{1/2}$ tasses de bouillon de bœuf

1 bâton de cannelle ou 1 généreuse pincée de cannelle en poudre

1 tranche épaisse de jambon blanc (environ 225 g/8 oz), coupée en dés

sel et poivre noir fraîchement moulu

copeaux de parmesan, pour la garniture

1 Chauffez l'huile dans une grande casserole et faites revenir la *pancetta* ou la poitrine fumée jusqu'à ce qu'elle commence à dorer. Émincez finement les légumes, mettez-les dans la casserole et poursuivez la cuisson 10 min, en remuant fréquemment. Ajoutez le bouillon, la cannelle, le sel et le poivre, et portez à ébullition. Couvrez et laissez mijoter 15 à 20 min à feu doux.

2 Incorporez les pâtes. Portez de nouveau à ébullition sans cesser de tourner. Baissez le feu et faites cuire 5 min. Mettez les cocos et le jambon, et prolongez la cuisson de 2 à 3 min (ou selon les instructions du paquet), jusqu'à ce que les pâtes soient *al dente*.

3 Ôtez le bâton de cannelle, le cas échéant, puis goûtez et rectifiez l'assaisonnement. Servez la soupe bien chaude, parsemée de copeaux de parmesan.

VARIANTE

Vous pouvez utiliser des spaghettis ou des tagliatelles, en les cassant en petits morceaux dans la casserole. Vous pouvez aussi remplacer les cocos roses par des haricots blancs : incorporez-les après le bouillon à l'étape 1. Éventuellement, ajoutez 1 cuillerée à soupe de concentré de tomates en même temps que les haricots.

SOUPE DE LENTILLES AUX LARDONS

Servez cette soupe nourrissante avec du pain de campagne bien croustillant.

INGRÉDIENTS

Pour 4 personnes

75 g/3 oz/³⁄₈ tasse de lentilles
450 g/1 lb de lardons
1 oignon grossièrement haché
1 petit navet grossièrement haché
1 branche de céleri hachée
1 pomme de terre
   grossièrement émincée
1 carotte émincée
1 bouquet garni
poivre noir fraîchement moulu
persil plat frais, pour la garniture

1 Chauffez une grande casserole et faites frire les lardons quelques minutes.

2 Ajoutez l'oignon, le navet, le céleri, la pomme de terre et la carotte. Faites cuire 4 min, en remuant de temps en temps.

3 Incorporez les lentilles, le bouquet garni, l'assaisonnement et suffisamment d'eau pour couvrir le tout. Portez à ébullition et laissez mijoter 1 h, jusqu'à ce que les lentilles soient tendres. Répartissez la soupe dans des assiettes chaudes et parsemez de persil.

SOUPE DE NOUILLES AUX LÉGUMES DU SICHUAN

INGRÉDIENTS

Pour 4 personnes

350 g/12 oz de nouilles aux œufs

115 g/4 oz de légumes au vinaigre
  du Sichuan rincés, égouttés
  et émincés

1 l/1¾ pintes/4 tasses de bouillon
  de volaille

15 ml/1 c. à soupe de crevettes
  séchées, ayant trempé dans
  de l'eau

30 ml/2 c. à soupe d'huile végétale

225 g/8 oz de porc maigre
  finement émincé

15 ml/1 c. à soupe de pâte de
  haricots jaunes

15 ml/1 c. à soupe de sauce de soja

1 pincée de sucre

2 oignons nouveaux finement
  émincés, pour la garniture

1 Portez le bouillon à ébullition dans une cocotte. Mettez les nouilles à cuire dedans jusqu'à ce qu'elles soient presque tendres. Égouttez. Rincez les crevettes séchées à l'eau froide, égouttez et mettez-les dans le bouillon. Baissez le feu et laissez mijoter 2 min. Gardez au chaud.

2 Chauffez l'huile dans une poêle ou un wok et faites frire le porc 3 min à feu vif, en remuant.

3 Incorporez la pâte de haricots et la sauce de soja, et faites revenir 1 min en tournant. Ajoutez les légumes au vinaigre et le sucre. Faites cuire encore 1 min.

4 Répartissez les nouilles et le bouillon aux crevettes dans des assiettes. Garnissez-les du mélange au porc, puis parsemez d'oignons nouveaux. Servez immédiatement.

POTAGE GALICIEN

Cette délicieuse soupe complète ressemble beaucoup aux potages rustiques d'Europe de l'Est, à base de viande et de pommes de terre. Pour une couleur plus prononcée, ajoutez quelques peaux d'oignon avec le lard, mais n'oubliez pas de les retirer avant de servir.

INGRÉDIENTS

Pour 4 personnes
- 450 g/1 lb de lard fumé, ayant trempé dans de l'eau toute la nuit
- 675 g/1 1/2 lb de pommes de terre coupées en gros morceaux
- 225 g/8 oz de jeunes choux verts
- 400 g/14 oz de haricots ou de cocos blancs en conserve, égouttés
- 2 feuilles de laurier
- 2 oignons émincés
- 1,5 l/2 1/2 pintes/6 1/4 tasses d'eau froide
- 10 ml/2 c. à thé de paprika
- sel et poivre noir fraîchement moulu

1 Égouttez le lard et mettez-le dans une grande casserole avec le laurier et les oignons. Versez l'eau.

2 Portez à ébullition, puis baissez le feu et laissez mijoter 1 h 30 environ, jusqu'à ce que le lard soit tendre. Surveillez la cuisson afin que la préparation ne déborde pas.

CONSEIL
On peut remplacer le lard par des morceaux de poitrine de porc non désossés. L'os conférera un goût délicieux au potage.

3 Égouttez le lard en réservant le jus de cuisson et laissez-le légèrement refroidir. Éliminez la couenne et l'excédent de gras, puis détaillez le maigre en petits morceaux. Remettez-le dans la casserole avec le jus de cuisson, puis ajoutez le paprika et les pommes de terre. Couvrez et laissez mijoter 20 min.

4 Ôtez le cœur des choux, roulez les feuilles et émincez-les finement. Mettez-les dans la casserole avec les haricots et poursuivez la cuisson 10 min environ. Salez, poivrez et servez le potage fumant.

GOMBO À LA SAUCISSE ET AUX FRUITS DE MER

INGRÉDIENTS
Pour 10 à 12 personnes

450 g/1 lb de gombos frais, coupés
   en tronçons d'1 cm/^{1}/$_2$ po
675 g/1^1/$_2$ lb de saucisse ou
   d'andouille, coupée en rondelles
   d'1 cm/^{1}/$_2$ po
1,5 kg/3 lbs de crevettes
   cuites entières
450 g/1 lb de chair de crabe fraîche
1,5 l/2^1/$_2$ pintes/6^1/$_4$ tasses d'eau
4 oignons moyens, dont 2 coupés
   en quartiers
4 feuilles de laurier
175 ml/6 oz/^{3}/$_4$ tasse
   d'huile végétale
115 g/4 oz/1 tasse de farine
60 ml/5 c. à soupe de margarine
   ou de beurre
2 poivrons verts épépinés
   et finement hachés
4 branches de céleri finement hachées
3 gousses d'ail écrasées
2.5 ml/^{1}/$_2$ c. à thé de thym frais
   ou séché
10 ml/2 c. à thé de sel
2.5 ml/^{1}/$_2$ c. à thé de poivre noir
   fraîchement moulu
2.5 ml/^{1}/$_2$ c. à thé de poivre blanc
5 ml/1 c. à thé de piment de Cayenne
30 ml/2 c. à soupe de sauce
   pimentée (facultatif)
100 g/4 oz/2 tasses de tomates roma
   fraîches ou en conserve, pelées
   et hachées
riz cuit, pour l'accompagnement

1 Décortiquez les crevettes et ôtez les veines. Réservez les carapaces et les têtes. Conservez les crevettes au réfrigérateur pendant que vous préparez la sauce.

2 Mettez les carapaces et les têtes des crevettes dans une casserole avec l'eau, les quartiers d'oignons et 1 feuille de laurier. Portez à ébullition, puis couvrez partiellement et laissez mijoter 20 min. Passez le bouillon et réservez-le.

3 Chauffez l'huile dans une poêle à fond épais.

4 Ajoutez la farine peu à peu et tournez pour former une pâte lisse. Faites cuire 25 à 40 min à feu moyen, sans cesser de remuer, jusqu'à ce que ce roux ait une couleur brun doré. Continuez à tourner hors du feu, jusqu'à ce que le roux refroidisse. Réservez.

5 Chauffez la margarine ou le beurre dans une grande cocotte. Hachez finement le reste des oignons et faites-les revenir 6 à 8 min à feu moyen avec les poivrons et le céleri.

6 Ajoutez la saucisse ou l'andouille et mélangez bien. Prolongez la cuisson de 5 min. Incorporez les gombos et l'ail, remuez, puis laissez cuire jusqu'à ce que les gombos ne fassent plus de « filaments » blancs.

7 Mettez le reste du laurier, le thym, le sel, les poivres noir et blanc, le piment de Cayenne et la sauce pimentée, le cas échéant. Mélangez bien. Incorporez le bouillon de crevettes réservé et les tomates. Portez à ébullition, puis couvrez partiellement, baissez le feu et laissez mijoter 20 min environ.

8 Incorporez le roux avec un fouet. Augmentez le feu et portez à ébullition, en fouettant bien. Baissez de nouveau le feu et faites cuire 40 à 45 min à découvert, en remuant de temps en temps.

9 Ajoutez délicatement les crevettes et la chair de crabe. Prolongez la cuisson de 3 à 4 min, jusqu'à ce que les crevettes rosissent.

10 Au moment de servir, disposez le riz chaud dans des assiettes et versez le *gombo* dessus, en répartissant les crevettes, le crabe et la saucisse ou l'andouille.

GOMBO AUX LÉGUMES VERTS

Traditionnellement servie à la fin du carême, cette soupe revigorante et légèrement épicée vous ravira même si vous n'avez pas jeûné. N'hésitez pas à remplacer par d'autres légumes ceux de la recette que vous ne trouvez pas. Servez avec du pain à l'ail.

INGRÉDIENTS

Pour 6 à 8 personnes

200 g/7 oz de jeunes choux verts ou de chou frisé finement émincé(s)
200 g/7 oz de chou chinois finement émincé
200 g/7 oz d'épinards hachés
1 poivron vert épépiné et haché
½ chou vert moyen finement émincé
2 branches de céleri finement émincées
1 botte de cresson hachée
6 oignons nouveaux finement émincés
350 g/12 oz de lard fumé
30 ml/2 c. à soupe de saindoux ou d'huile
1 oignon grossièrement haché
2 à 3 gousses d'ail écrasées
5 ml/1 c. à thé d'origan séché
5 ml/1 c. à thé de thym séché
2 feuilles de laurier
2 clous de girofle
2 l/3½ pintes/9 tasses de bouillon léger ou d'eau
25 g/1 oz/½ tasse de persil frais haché
2.5 ml/½ c. à thé de poivre de la Jamaïque moulu
¼ de noix de muscade râpée
1 pincée de piment de Cayenne
sel et poivre noir fraîchement moulu

1 Détaillez le lard en petits dés, en gardant le gras et la couenne en un seul morceau. Mettez le gras dans une grande casserole avec le saindoux ou l'huile et chauffez jusqu'à ce qu'il grésille. Incorporez le lard, l'oignon, l'ail, l'origan et le thym, et faites cuire 5 min à feu moyen, en remuant de temps en temps.

2 Ajoutez le laurier, les clous de girofle, le céleri et le poivron, et cuisez à feu moyen 2 à 3 min, en remuant. Mettez le chou vert et le bouillon ou l'eau. Portez à ébullition et laissez mijoter 5 min à feu doux.

3 Incorporez les jeunes choux verts (ou le chou frisé) et le chou chinois. Faites cuire 2 min, puis ajoutez les épinards, le cresson et les oignons nouveaux. Portez de nouveau à ébullition, puis baissez le feu et laissez mijoter 1 min. Incorporez le persil, le poivre de la Jamaïque, la muscade, le sel, le poivre noir et le piment de Cayenne.

4 Retirez le morceau de gras et, si possible, les clous de girofle. Répartissez le *gombo* dans des assiettes et servez immédiatement.

SOUPE DE BŒUF AU YAOURT

Cette soupe peut constituer un plat unique pour un dîner d'hiver.

INGRÉDIENTS

Pour 4 personnes

2 gros oignons
30 ml/2 c. à soupe d'huile
15 ml/1 c. à soupe de curcuma
90 g/3½ oz/⅜ tasse de pois cassés
   jaunes
1,2 l/2 pintes/5 tasses d'eau
225 g/8 oz de bœuf haché
200 g/7 oz/1 tasse de riz
45 ml/3 c. à soupe de chacune
   des herbes suivantes hachées :
   persil, coriandre et ciboulette
15 g/½ oz/1 c. à soupe de beurre
1 grosse gousse d'ail finement hachée
60 ml/4 c. à soupe de menthe hachée
2 à 3 filaments de safran dissous
   dans 15 ml/1 c. à soupe d'eau
   bouillante (facultatif)
sel et poivre noir fraîchement moulu
menthe fraîche, pour la garniture
yaourt nature et pain *naan,*
   pour l'accompagnement

1 Hachez 1 oignon. Chauffez l'huile dans une grande cocotte et faites revenir l'oignon haché. Ajoutez le curcuma, les pois cassés et l'eau, portez à ébullition, puis baissez le feu et laissez mijoter 20 min.

2 Râpez l'autre oignon dans une jatte, incorporez le bœuf haché et l'assaisonnement. Mélangez bien et façonnez de petites boulettes de la taille d'une noix. Plongez-les délicatement dans la cocotte et faites-les cuire 10 min.

3 Ajoutez le riz et les herbes aromatiques. Prolongez la cuisson de 30 min, en remuant fréquemment, jusqu'à ce que le riz soit tendre.

4 Chauffez le beurre dans une casserole et faites revenir l'ail. Incorporez-le à la menthe. Parsemez la soupe de safran, le cas échéant.

5 Répartissez la soupe dans des assiettes chaudes. Garnissez de menthe et servez avec du yaourt et des *naan.*

CONSEIL
Les épinards frais conviennent également très bien pour cette soupe. Ajoutez 50 g/2 oz d'épinards hachés en même temps que les herbes aromatiques.

SOUPE DE NOUILLES AU BŒUF

Offrez à vos amis ou à votre famille un bol fumant de cette soupe remplie des parfums de l'Orient.

INGRÉDIENTS

Pour 4 personnes

75 g/3 oz de nouilles aux œufs fines
350 g/12 oz de rumsteck
25 g/1 oz de cèpes séchés
150 ml/¼ pinte/⅔ tasse
   d'eau bouillante
6 oignons nouveaux
115 g/4 oz de carottes
30 ml/2 c. à soupe d'huile
1 gousse d'ail écrasée
1 morceau de gingembre frais
   de 2,5 cm/1 po pelé et
   finement haché
1,2 l/2 pintes/5 tasses de bouillon
   de bœuf
45 ml/3 c. à soupe de sauce de
   soja claire
60 ml/4 c. à soupe de xérès sec
75 g/3 oz d'épinards hachés
sel et poivre noir fraîchement moulu

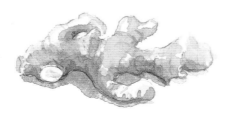

1 Cassez les champignons en petits morceaux dans une jatte, versez l'eau bouillante dessus et laissez tremper 15 min.

2 Émincez les oignons nouveaux et les carottes en julienne. Parez le rumsteck et détaillez-le en fines lanières.

3 Chauffez l'huile dans une cocotte et saisissez les lanières de bœuf, en plusieurs fois, en ajoutant de l'huile si nécessaire. Retirez-les à l'aide d'une écumoire et égouttez sur du papier absorbant.

4 Réunissez l'ail, le gingembre, les oignons nouveaux et les carottes dans la cocotte, et faites sauter 3 min.

5 Ajoutez le bœuf, le bouillon, les champignons et leur eau de trempage, la sauce de soja et le xérès. Assaisonnez généreusement de sel et de poivre. Portez à ébullition, couvrez et laissez mijoter 10 min.

6 Incorporez les nouilles dans la cocotte avec les épinards. Poursuivez la cuisson 5 min sur feu doux, jusqu'à ce que le bœuf soit tendre. Rectifiez l'assaisonnement avant de servir.

REMARQUE

Les cèpes séchés se trouvent dans tous les supermarchés. Ils coûtent peut-être un peu cher mais sont très parfumés et n'ont pas besoin d'être utilisés en grande quantité pour donner du caractère à un plat.

BOUILLON AUX LÉGUMES ET AU BŒUF HACHÉ

INGRÉDIENTS

Pour 6 personnes

225 g/8 oz d'épinards finement
  hachés

8 jeunes épis de maïs émincés ou
  200 g/7 oz de maïs doux
  en conserve

1 grosse tomate hachée

115 g/4 oz de bœuf finement haché

30 ml/2 c. à soupe d'huile
  d'arachide

1 gros oignon râpé ou finement haché

1 gousse d'ail écrasée

1 à 2 piments frais épépinés
  et hachés

1 cube de *terasi* (pâte de crevettes)
  d'1 cm/1/2 po

3 noix de macadamia ou 6 amandes
  finement hachées

1 carotte finement râpée

5 ml/1 c. à thé de sucre roux

1 l/1 3/4 pintes/4 tasses de bouillon
  de volaille

50 g/2 oz de crevettes séchées,
  ayant trempé 10 min dans de
  l'eau chaude

le jus d'1/2 citron

sel

1 Chauffez l'huile dans une casserole et faites revenir le bœuf, l'oignon et l'ail jusqu'à ce que le bœuf change de couleur.

2 Ajoutez les piments, le *terasi,* les noix de macadamia ou les amandes, la carotte, le sucre roux et le sel à votre goût.

3 Mouillez avec le bouillon et portez doucement à ébullition. Baissez le feu, puis ajoutez les crevettes et leur eau de trempage. Laissez frémir 10 min environ.

4 Quelques minutes avant de servir, ajoutez les épinards, le maïs, la tomate et le jus de citron. Réchauffez le tout 1 à 2 min, en veillant à ne pas trop cuire la soupe, ce qui en altérerait l'apparence et le goût. Servez aussitôt.

CONSEIL
Pour une version très épicée,
ajoutez les graines des piments.

BOUILLON DE BŒUF AU MANIOC

Cette soupe riche et complète est presque un ragoût.

INGRÉDIENTS

Pour 4 personnes

- 1,2 l/2 pintes/5 tasses de bouillon de bœuf
- 450 g/1 lb de bœuf à braiser coupé en dés
- 275 g/10 oz de manioc ou d'igname coupé(e) en dés
- 300 ml/$\frac{1}{2}$ pinte/1$\frac{1}{4}$ tasses de vin blanc
- 15 ml/1 c. à soupe de sucre roux
- 1 oignon finement haché
- 1 feuille de laurier
- 1 bouquet garni
- 1 brin de thym frais
- 15 ml/1 c. à soupe de concentré de tomates
- 1 belle carotte émincée
- 50 g/2 oz d'épinards hachés
- sauce pimentée, selon le goût
- sel et poivre noir fraîchement moulu

1 Réunissez le bouillon, le bœuf, le vin, le sucre roux, l'oignon, le laurier, le bouquet garni, le thym et le concentré de tomates dans une cocotte. Portez à ébullition, puis couvrez et laissez mijoter 1 h 15 environ.

2 Ajoutez la carotte, le manioc ou l'igname, les épinards, la sauce pimentée, le sel et le poivre, et prolongez la cuisson de 15 min, jusqu'à ce que la viande et les légumes soient tendres. Servez.

CONSEIL

Vous pouvez remplacer le bœuf par une pièce d'agneau et substituer ou ajouter tout légume racine au manioc. Vous pouvez aussi incorporer des nouilles ou des petites pâtes à potage à ce bouillon, en mettant, dans ce cas, moins de légumes. Enfin, vous pouvez remplacer le vin par un peu plus d'eau.

 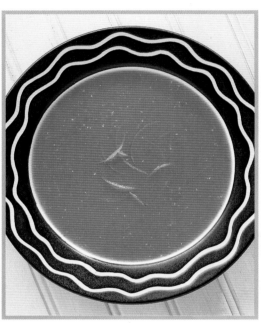 

SOUPES PRESTIGIEUSES
ET RAFFINÉES

SOUPE DE MELON AU BASILIC

Délicieusement rafraîchissante, cette soupe est idéale pour un déjeuner d'été.

INGRÉDIENTS

Pour 4 à 6 personnes

2 melons charentais

45 ml/3 c. à soupe de basilic frais haché, plus des feuilles entières pour la garniture

75 g/3 oz/½ tasse de sucre en poudre

175 ml/6 oz/¾ tasse d'eau

le jus et le zeste finement râpé d'1 citron vert

1 Partagez les melons en deux et épépinez-les. Avec une cuillère parisienne, formez 20 à 24 boules et réservez-les pour la garniture. Mettez le reste de la pulpe dans un mixer.

CONSEIL
Ajoutez le sirop en 2 fois, car la quantité de sucre requise dépend de la saveur du melon.

2 Dans une petite casserole, réunissez le sucre, l'eau et le zeste de citron vert. Mélangez à feu doux jusqu'à dissolution complète, puis portez à ébullition et laissez frémir 2 à 3 min. Retirez du feu et laissez refroidir légèrement. Versez la moitié du sirop dans le mixer avec le melon et actionnez jusqu'à obtenir une purée lisse, en ajoutant le reste de sirop et le jus de citron vert.

3 Transférez la soupe dans une jatte, incorporez le basilic haché et placez au réfrigérateur. Servez la soupe garnie de feuilles de basilic et de boules de melon.

SOUPE D'OIGNONS ROUGES ET DE BETTERAVES

V

Cette superbe soupe rehaussée d'un nappage de yaourt embellira vos dîners d'une touche rouge rubis.

INGRÉDIENTS

Pour 4 à 6 personnes

350 g/12 oz d'oignons
    rouges émincés
275 g/10 oz de betteraves cuites
    coupées en julienne
15 ml/1 c. à soupe d'huile d'olive
2 gousses d'ail écrasées
1,2 l/2 pintes/5 tasses de bouillon
    de légumes ou d'eau
50 g/2 oz/1 tasse de pâtes à
    potage cuites
30 ml/2 c. à soupe de vinaigre
    de framboise
sel et poivre noir fraîchement moulu
yaourt nature ou fromage blanc et
    ciboulette fraîche, pour la garniture

2 Faites revenir 20 min sur feu doux, en remuant de temps en temps.

3 Incorporez les betteraves, le bouillon ou l'eau, les pâtes et le vinaigre. Réchauffez le tout, puis assaisonnez et garnissez de yaourt ou de fromage blanc et de ciboulette.

1 Chauffez l'huile d'olive dans une cocotte, puis ajoutez les oignons rouges et l'ail.

CONSEIL
On peut remplacer les pâtes par de l'orge cuit, qui conférera un petit goût de noisette à la soupe.

SOUPE DE BETTERAVES AUX RAVIOLIS

La betterave et les pâtes fraîches forment une combinaison insolite mais très agréable.

INGRÉDIENTS

Pour 4 à 6 personnes

225 g/8 oz de betteraves cuites
pâte à raviolis
1 blanc d'œuf battu
farine
1 petit oignon ou 1 échalote
    finement haché(e)
2 gousses d'ail écrasées
5 ml/1 c. à thé de graines de fenouil
600 ml/1 pinte/2½ tasses de
    bouillon de volaille ou de légumes
30 ml/2 c. à soupe de jus
    d'orange frais
feuilles de fenouil ou d'aneth frais,
    pour la garniture

Pour la farce

115 g/4 oz de champignons de Paris
    finement hachés
1 échalote ou 1 petit oignon
    finement haché(e)
1 à 2 gousses d'ail écrasées
5 ml/1 c. à thé de thym frais haché
15 ml/1 c. à soupe de persil
    frais haché
90 ml/6 c. à soupe de mie de
    pain émiettée
sel et poivre noir fraîchement moulu
1 généreuse pincée de muscade
    fraîchement râpée

1 Passez tous les ingrédients de la farce au mixer.

2 Abaissez la pâte en fins rouleaux. Étendez une abaisse sur un moule à raviolis et déposez 5 ml/1 c. à thé de farce au centre de chaque cavité. Badigeonnez les bords de chaque ravioli au blanc d'œuf. Couvrez d'une autre abaisse et pressez les bords afin de les souder. Transférez sur un torchon fariné et laissez reposer 1 h avant la cuisson.

3 Faites cuire les raviolis 2 min à l'eau salée bouillante (procédez en plusieurs fois pour éviter que les raviolis ne se collent entre eux). Rafraîchissez-les 5 s à l'eau froide, puis disposez-les sur un plat (vous pouvez préparer les raviolis la veille et les conserver au réfrigérateur).

4 Réunissez l'oignon, l'ail et les graines de fenouil dans une casserole avec le bouillon. Portez à ébullition, couvrez et laissez mijoter 5 min. Pelez et détaillez les betteraves en petits dés. Réservez-en 60 ml/4 c. à soupe pour la garniture et mettez le reste dans le bouillon. Portez à ébullition.

5 Incorporez le jus d'orange frais et les raviolis cuits, puis laissez mijoter 2 min. Répartissez la soupe dans des assiettes. Garnissez de dés de betterave et de feuilles de fenouil ou d'aneth. Servez la soupe bien chaude.

SOUPE DE LÉGUMES À L'ITALIENNE

V

Le succès de cette soupe claire dépendant essentiellement de la qualité du bouillon, il est préférable de préparer un bouillon maison.

INGRÉDIENTS

Pour 4 personnes

- 1 petite carotte
- 1 petit poireau
- 1 branche de céleri
- 50 g/2 oz de chou vert
- 115 g/4 oz/1 tasse de cocos blancs cuits
- 900 ml/1½ pintes/3¾ tasses de bouillon de légumes
- 1 feuille de laurier
- 25 g/1 oz/¼ tasse de petites pâtes à potage
- sel et poivre noir fraîchement moulu
- ciboulette fraîche ciselée, pour la garniture

1 Émincez la carotte, le poireau et le céleri en julienne. Hachez finement le chou.

2 Portez le bouillon avec le laurier à ébullition dans une grande casserole. Ajoutez les bâtonnets de légumes, couvrez et laissez mijoter 6 min, jusqu'à ce qu'ils soient à peine tendres.

3 Incorporez le chou, les cocos et les pâtes, puis poursuivez la cuisson 4 à 5 min à découvert, afin que les légumes soient cuits et les pâtes *al dente.*

4 Ôtez la feuille de laurier et assaisonnez à votre goût. Répartissez la soupe dans des assiettes chaudes et garnissez de ciboulette. Servez immédiatement.

BISQUE DE COURGE

Cette soupe lisse et veloutée exhale un délicat parfum.

INGRÉDIENTS

Pour 4 personnes

450 g/1 lb de courge pelée, épépinée et coupée en dés

25 g/1 oz/2 c. à soupe de beurre ou de margarine

2 petits oignons finement hachés

1,2 l/2 pintes/5 tasses de bouillon de volaille

225 g/8 oz de pommes de terre coupées en dés

5 ml/1 c. à thé de paprika

120 ml/4 oz/$\frac{1}{2}$ tasse de crème fleurette (facultatif)

25 ml/1$\frac{1}{2}$ c. à soupe de ciboulette fraîche hachée, plus quelques brins entiers pour la garniture

sel et poivre noir fraîchement moulu

1 Chauffez le beurre ou la margarine dans une cocotte et faites revenir les oignons 5 min, jusqu'à ce qu'ils soient tendres.

2 Ajoutez la courge, le bouillon, les pommes de terre et le paprika. Portez à ébullition, puis baissez le feu, couvrez et laissez mijoter 35 min environ, jusqu'à ce que les légumes soient cuits.

3 Passez la soupe au mixer, puis remettez-la dans la cocotte et incorporez la crème fleurette, le cas échéant. Assaisonnez et réchauffez à feu doux.

4 Ajoutez la ciboulette hachée juste avant de servir la bisque. Garnissez chaque assiette de quelques brins de ciboulette.

SOUPE DE POIVRONS ROUGES AU CITRON VERT

Cette somptueuse soupe d'un rouge profond constitue une entrée originale ou un déjeuner léger.

INGRÉDIENTS

Pour 4 à 6 personnes

4 poivrons rouges épépinés et hachés
le jus et le zeste finement râpé
   d'1 citron vert
1 gros oignon haché
5 ml/1 c. à thé d'huile d'olive
1 gousse d'ail écrasée
45 ml/3 c. à soupe de concentré
   de tomates
1 petit piment rouge frais émincé
900 ml/1 $\frac{1}{2}$ pintes/3 $\frac{3}{4}$ tasses de
   bouillon de volaille
sel et poivre noir fraîchement moulu
zeste de citron vert, pour la garniture

1 Chauffez l'huile dans une grande casserole. Faites revenir l'oignon et les poivrons 5 min à couvert, en mélangeant de temps en temps.

2 Incorporez l'ail, le concentré de tomates et le piment. Versez la moitié du bouillon et portez à ébullition. Couvrez et laissez mijoter 10 min.

3 Passez la soupe au mixer, puis remettez-la dans la casserole avec le reste de bouillon, le zeste et le jus de citron vert. Salez et poivrez.

4 Portez de nouveau à ébullition, puis servez la soupe aussitôt, en garnissant chaque assiette de zeste de citron vert.

SOUPE DE TOMATES AU BASILIC FRAIS

Une merveilleuse soupe à déguster à la fin de l'été, lorsque les tomates sont encore très parfumées.

INGRÉDIENTS

Pour 4 à 6 personnes

900 g/2 lb de tomates roma bien mûres, grossièrement hachées

30 ml/2 c. à soupe de basilic frais haché, plus quelques feuilles entières pour la garniture

15 ml/1 c. à soupe d'huile d'olive

25 g/1 oz/2 c. à soupe de beurre

1 oignon moyen finement haché

1 gousse d'ail grossièrement hachée

750 ml/1¼ pintes/3 tasses de bouillon de volaille ou de légumes

120 ml/4 oz/½ tasse de vin blanc sec

30 ml/2 c. à soupe de purée de tomates séchées

150 ml/¼ pinte/⅔ tasse de crème fraîche

sel et poivre noir fraîchement moulu

1 Chauffez l'huile et le beurre dans une cocotte et faites revenir l'oignon 5 min à feu doux, en remuant fréquemment, sans le laisser brunir.

2 Incorporez les tomates et l'ail, puis ajoutez le bouillon, le vin blanc et la purée de tomates. Assaisonnez. Portez à ébullition, puis baissez le feu, couvrez partiellement et laissez mijoter 20 min, en tournant de temps en temps pour empêcher les tomates d'attacher.

3 Passez la soupe et le basilic haché au mixer, puis tamisez dans une casserole.

4 Incorporez la crème fraîche et réchauffez le tout en remuant, sans laisser bouillir. Vérifiez la consistance et ajoutez du bouillon si nécessaire. Rectifiez l'assaisonnement et versez la soupe dans des assiettes chaudes. Garnissez de basilic et servez immédiatement.

SOUPE DE CHAMPIGNONS SAUVAGES

Les cèpes séchés apportent beaucoup de saveur et ne s'utilisent qu'en petite quantité. Le bouillon de bœuf peut vous paraître insolite dans une soupe de légumes, mais il fait ressortir l'arôme puissant des champignons.

INGRÉDIENTS

Pour 4 personnes

225 g/8 oz de champignons sauvages frais
25 g/1 oz/2 tasses de cèpes séchés
250 ml/8 oz/1 tasse d'eau chaude
30 ml/2 c. à soupe d'huile d'olive
15 g/1/2 oz/1 c. à soupe de beurre
2 poireaux finement émincés
2 échalotes grossièrement hachées
1 gousse d'ail grossièrement hachée
1,2 l/2 pintes/5 tasses de bouillon de bœuf
2.5 ml/1/2 c. à thé de thym séché
150 ml/1/4 pinte/2/3 tasse de crème fraîche
sel et poivre noir fraîchement moulu
brins de thym frais, pour la garniture

1 Faites tremper les cèpes séchés 20 à 30 min dans de l'eau chaude, puis pressez-les pour éliminer l'excédent d'eau. Filtrez l'eau de trempage et réservez-la. Hachez finement les cèpes.

2 Chauffez l'huile et le beurre dans une grande casserole jusqu'à ce que le mélange mousse. Ajoutez les poireaux, les échalotes et l'ail, et faites-les revenir 5 min environ, en remuant fréquemment, sans les laisser brunir.

3 Hachez ou émincez les champignons sauvages et mettez-les dans la casserole. Remuez quelques minutes à feu moyen jusqu'à ce qu'ils commencent à fondre. Versez le bouillon et portez à ébullition. Incorporez les cèpes avec l'eau de trempage, le thym séché, le sel et le poivre. Baissez le feu, couvrez à demi et laissez mijoter 30 min en tournant de temps en temps.

4 Passez les 3/4 de la soupe au mixer, puis remettez dans la casserole. Incorporez la crème fraîche et réchauffez le tout. Vérifiez la consistance et ajoutez du bouillon ou de l'eau si nécessaire. Rectifiez l'assaisonnement, puis servez la soupe bien chaude, parsemée de thym frais.

SOUPE HONGROISE AUX GRIOTTES

Très appréciée l'été, la soupe de fruits froide est typique de la cuisine hongroise. En voici une composée de griottes fraîches liées à la farine et additionnées d'une pincée de sel pour rehausser leur parfum.

INGRÉDIENTS

Pour 4 personnes

- 225 g/8 oz/1½ tasses de griottes fraîches dénoyautées
- 15 ml/1 c. à soupe de farine
- 120 ml/4 oz/½ tasse de crème aigre
- 1 généreuse pincée de sel
- 5 ml/1 c. à thé de sucre en poudre
- 900 ml/1½ pintes/3¾ tasses d'eau
- 50 g/2 oz/¼ tasse de sucre cristallisé

1 Dans une jatte, délayez la farine dans la crème aigre, puis ajoutez le sel et le sucre en poudre.

2 Mettez les griottes dans une casserole avec l'eau et le sucre cristallisé. Faites-les pocher 10 min à feu doux.

3 Retirez du feu et réservez 30 ml/ 2 c. à soupe du jus de cuisson pour la garniture. Prélevez 2 autres cuillerées à soupe du jus de cuisson et incorporez-les au mélange de crème et de farine, puis versez cette préparation sur les cerises.

4 Remettez la casserole sur le feu et portez à ébullition, puis laissez mijoter 5 à 6 min.

5 Hors du feu, couvrez la casserole de film plastique et laissez refroidir. Ajoutez un peu de sel si nécessaire. Servez la soupe additionnée du jus de cuisson réservé.

SOUPE DE POMMES

Cette soupe originale et savoureuse, d'origine roumaine, est un excellent moyen d'utiliser des pommes fraîchement cueillies.

INGRÉDIENTS

Pour 6 personnes

6 grosses pommes vertes

45 ml/3 c. à soupe d'huile

1 chou-rave coupé en dés

3 carottes coupées en dés

2 branches de céleri coupées en dés

1 poivron vert épépiné et coupé en dés

2 tomates coupées en dés

2 l/3½ pintes/9 tasses de bouillon de volaille

45 ml/3 c. à soupe de farine

150 ml/¼ pinte/²/₃ tasse de crème fraîche

15 ml/1 c. à soupe de sucre

30 à 45 ml/2 à 3 c. à soupe de jus de citron

sel et poivre noir fraîchement moulu

quartiers de citron,
   pour l'accompagnement

1 Chauffez l'huile dans une grande casserole et faites revenir le chou-rave, les carottes, le céleri, le poivron et les tomates 5 à 6 min.

2 Mouillez avec le bouillon, portez à ébullition, puis baissez le feu et laissez mijoter 45 min environ.

3 Pendant ce temps, pelez et évidez les pommes, puis détaillez-les en petits dés. Mettez-les dans la casserole et cuisez encore 15 min.

4 Dans une jatte, mélangez la farine et la crème fraîche. Versez ce mélange peu à peu dans la soupe, en remuant bien. Portez à ébullition, ajoutez le sucre et le jus de citron, puis assaisonnez. Servez la soupe avec des quartiers de citron.

▣ SOUPE CHINOISE PIQUANTE

Cette soupe classique originaire de Chine constitue une façon insolite de commencer un repas.

INGRÉDIENTS

Pour 4 personnes

100 g/4 oz/1 tasse de champignons noirs chinois séchés

8 champignons *shiitake* frais

75 g/3 oz de tofu

50 g/2 oz/½ tasse de pousses de bambou en conserve égouttées

900 ml/1½ pintes/3¾ tasses de bouillon de légumes

15 ml/1 c. à soupe de sucre en poudre

45 ml/3 c. à soupe de vinaigre de riz

15 ml/1 c. à soupe de sauce de soja claire

1.5 ml/¼ c. à thé d'huile pimentée

2.5 ml/½ c. à thé de sel

1 généreuse pincée de poivre noir fraîchement moulu

15 ml/1 c. à soupe de Maïzena

15 ml/1 c. à soupe d'eau froide

1 blanc d'œuf

5 ml/1 c. à thé d'huile de sésame

2 oignons nouveaux finement émincés, pour la garniture

CONSEIL

Pour transformer cette savoureuse soupe en un repas léger et nutritif, il suffit d'ajouter des champignons, du tofu et des pousses de bambou.

1 Faites tremper les champignons noirs séchés 30 min dans de l'eau chaude. Égouttez-les, retirez les bases dures, puis hachez grossièrement le reste.

2 Retirez les pieds des champignons *shiitake* et détaillez finement les têtes. Débitez le tofu en dés d'1 cm/½ po et émincez les pousses de bambou.

3 Dans une grande casserole, réunissez le bouillon, les champignons, le tofu et les pousses de bambou. Portez à ébullition, puis baissez le feu et laissez mijoter 5 min environ.

4 Incorporez le sucre, le vinaigre, la sauce de soja, l'huile pimentée, le sel et le poivre. Délayez la Maïzena dans l'eau et ajoutez-la à la soupe, en remuant jusqu'à épaississement.

5 Battez légèrement le blanc d'œuf, puis incorporez-le en un fin filet dans la soupe, en tournant. Prolongez la cuisson jusqu'à ce que l'œuf change de couleur.

6 Ajoutez l'huile de sésame juste avant de servir. Répartissez la soupe dans des assiettes chaudes et garnissez d'oignons nouveaux.

VELOUTÉ DE CRESSON AUX POIRES

D'une grande finesse, ce velouté allie la douceur de la poire au goût légèrement acidulé du cresson. Pour ajouter une saveur discrète, on introduit du fromage sous la forme de croûtons dorés.

INGRÉDIENTS

Pour 6 personnes

1 botte de cresson
4 poires moyennes émincées
900 ml/1½ pintes/3¾ tasses de bouillon de volaille
120 ml/4 oz/½ tasse de crème fraîche
le jus d'1 citron vert
sel et poivre noir fraîchement moulu

Pour les croûtons au bleu

200 g/7 oz/3 tasses de pain rassis coupé en dés
115 g/4 oz/1 tasse de bleu râpé
25 g/1 oz/2 c. à soupe de beurre
15 ml/1 c. à soupe d'huile

1 Mettez les ⅔ des feuilles de cresson et toutes les tiges dans une grande casserole avec les poires et le bouillon. Salez et poivrez légèrement. Laissez mijoter 15 à 20 min.

2 Réservez quelques feuilles de cresson pour la garniture et ajoutez le reste dans la soupe. Passez immédiatement la soupe au mixer.

3 Versez la soupe dans une jatte, puis incorporez la crème fraîche et le jus de citron vert. Assaisonnez à votre goût. Remettez la soupe dans la casserole et réchauffez à feu doux, en remuant délicatement.

4 Pour les croûtons au bleu, faites dorer les dés de pain dans le beurre et l'huile. Égouttez-les sur du papier absorbant. Parsemez les croûtons de bleu et passez-les au gril afin que le fromage fonde.

5 Versez la soupe dans des assiettes chaudes. Répartissez les croûtons au fromage et le cresson réservé et servez.

BOUILLON AUX PETITS LÉGUMES

Si vous avez le temps, préparez vous-même votre bouillon de légumes — ou, si vous préférez, de volaille ou de poisson.

INGRÉDIENTS

Pour 4 personnes

900 ml/1½ pintes/3¾ tasses de bouillon de légumes bien parfumé
1 poivron jaune
2 belles courgettes
2 belles carottes
1 chou-rave
50 g/2 oz de vermicelle de riz
sel et poivre noir fraîchement moulu

1 Coupez le poivron en quatre et épépinez-le. Détaillez les courgettes et les carottes dans la longueur en tranches de 5 mm/¼ po, puis émincez le chou-rave en rondelles de 5 mm/¼ po.

2 Avec des petits emporte-pièce ou un couteau très tranchant, découpez des formes décoratives dans les légumes, des étoiles ou des cœurs par exemple.

CONSEIL

Faites sauter les restes de légumes dans un peu d'huile et mélangez-les à du riz complet cuit pour faire un savoureux risotto.

3 Réunissez les légumes et le bouillon dans une casserole et laissez mijoter 10 min, jusqu'à ce que les légumes soient tendres. Assaisonnez.

4 Dans le même temps, mettez le vermicelle dans une jatte, couvrez-le d'eau bouillante et laissez-le cuire 4 min. Égouttez-le, puis répartissez-le dans des assiettes. Versez le bouillon dessus.

SOUPE D'ÉPINARDS AU RIZ

Utilisez de préférence des épinards jeunes et très frais pour confectionner cette soupe étonnamment légère et rafraîchissante.

INGRÉDIENTS

Pour 4 personnes

675 g/1¹/₂ lb d'épinards frais lavés
45 ml/3 c. à soupe d'huile d'olive
    vierge extra
1 petit oignon finement haché
2 gousses d'ail finement hachées
1 petit piment rouge frais, épépiné
    et finement haché
115 g/4 oz/generous ¹/₂ tasse de riz
1,2 l/2 pintes/5 tasses de bouillon
    de légumes
sel et poivre noir fraîchement moulu
60 ml/4 c. à soupe de *pecorino* râpé,
    pour la garniture

1 Mettez les épinards non égouttés dans une casserole. Ajoutez 1 bonne pincée de sel et faites chauffer doucement jusqu'à ce que les épinards fondent. Retirez-les du feu, égouttez-les et réservez l'eau de cuisson. Hachez-les finement au couteau.

2 Chauffez l'huile dans une grande casserole, puis faites revenir l'oignon, l'ail et le piment 4 à 5 min. Incorporez le riz, mélangez bien, puis servez avec le bouillon et l'eau de cuisson réservée.

3 Portez à ébullition, puis baissez le feu et laissez mijoter 10 min. Ajoutez les épinards et prolongez la cuisson de 5 à 7 min, jusqu'à ce que le riz soit tendre. Assaisonnez et servez la soupe parsemée de *pecorino* râpé.

SOUPE DE PÂTES AUX BROCOLIS ET AUX ANCHOIS

Cette soupe est originaire des Pouilles, dans le sud de l'Italie, où l'on associe souvent les brocolis et les anchois.

INGRÉDIENTS

Pour 4 personnes

200 g/7 oz/1³⁄₄ tasses d'*orechiette*
   (petites pâtes en forme d'oreille)
300 g/11 oz/2 tasses de brocolis
   détaillés en petits bouquets
2 filets d'anchois en
   conserve, égouttés
30 ml/2 c. à soupe d'huile
1 petit oignon finement haché
1 gousse d'ail finement hachée
¹⁄₄ à ¹⁄₃ de piment rouge frais,
   épépiné et finement haché
200 ml/7 oz/⁷⁄₈ tasse de *passata*
   (purée de tomates)
45 ml/3 c. à soupe de vin blanc sec
1,2 l/2 pintes/5 tasses de bouillon
   de légumes
sel et poivre noir fraîchement moulu
pecorino râpé, pour l'accompagnement

1 Chauffez l'huile dans une grande casserole. Faites revenir l'oignon, l'ail, le piment et les anchois 5 à 6 min à feu doux, en remuant constamment.

2 Ajoutez la *passata,* le vin blanc, du sel et du poivre. Portez à ébullition, puis couvrez et faites cuire 12 à 15 min à feu doux, en tournant de temps en temps.

3 Versez le bouillon, puis incorporez les brocolis et laissez mijoter 5 min. Ajoutez les pâtes et portez de nouveau à ébullition. Prolongez la cuisson de 7 à 8 min (ou selon les instructions du paquet), en remuant fréquemment, jusqu'à ce que les pâtes soient *al dente.*

4 Goûtez et rectifiez l'assaisonnement. Servez la soupe bien chaude, accompagnée d'un bol de *pecorino* râpé.

CONSOMMÉ AUX AGNOLOTTI

*Les crevettes et le crabe s'associent
à merveille dans cette délicieuse
recette de consommé.*

INGRÉDIENTS
Pour 4 à 6 personnes
   75 g/3 oz de crevettes
      cuites décortiquées
   75 g/3 oz de chair de crabe en
      conserve, égouttée
   5 ml/1 c. à thé de gingembre frais
      finement râpé
   15 ml/1 c. à soupe de mie de
      pain émiettée
   5 ml/1 c. à thé de sauce de
      soja claire
   1 oignon nouveau finement haché
   1 gousse d'ail écrasée
   1 blanc d'œuf battu
   400 g/14 oz de bouillon de volaille
      ou de fumet de poisson
   30 ml/2 c. à soupe de xérès
      ou de vermouth
   sel et poivre noir fraîchement moulu
Pour la pâte à *agnolotti*
   200 g/7 oz/1¾ tasses de farine
   1 pincée de sel
   2 œufs
   10 ml/2 c. à thé d'eau froide
Pour la garniture
   50 g/2 oz de crevettes cuites
      décortiquées
   feuilles de coriandre fraîche

1 Pour faire la pâte à *agnolotti*,
tamisez la farine et le sel sur un
plan de travail et creusez un puits
au centre.

2 Mettez les œufs et l'eau dans le
puits. Avec une fourchette, battez
les œufs, puis incorporez progressivement la farine pour former une
pâte épaisse.

3 Quand le mélange est trop épais
pour la fourchette, pétrissez la pâte
à la main, pendant 5 min environ.
Enveloppez-la de film plastique et
laissez-la reposer 20 à 30 min.

4 Pendant ce temps, passez les
crevettes, le crabe, le gingembre,
le pain, la sauce de soja, l'oignon
nouveau, l'ail et l'assaisonnement
au mixer.

5 Étendez la pâte en une couche
fine. À l'aide d'un emporte-pièce
cannelé, découpez 32 disques de
5 cm/2 po de diamètre.

6 Déposez 5 ml/1 c. à thé de la
garniture au centre de la moitié
des disques de pâte. Badigeonnez
le pourtour de blanc d'œuf, puis
recouvrez avec les disques de pâte
restants. Pincez les bords afin de
bien les souder.

7 Faites cuire les *agnolotti* 5 min
dans une grande casserole d'eau
bouillante salée (en plusieurs fois
pour éviter qu'ils ne collent). Plongez-les quelques secondes dans
un bol d'eau froide et disposez sur
un plat. (Vous pouvez confectionner
les pâtes la veille et les garder au
réfrigérateur sous film plastique.)

8 Chauffez le bouillon ou le fumet
avec le xérès ou le vermouth. Ajoutez dans ce consommé les *agnolotti* cuits et laissez frémir 1 à 2 min.

9 Répartissez les *agnolotti* dans
des assiettes et recouvrez-les du
consommé. Garnissez de crevettes
et de feuilles de coriandre fraîche.

SOUPE AUX HUÎTRES

Les huîtres sont aussi
délicieuses en soupe !

INGRÉDIENTS
Pour 6 personnes
1,2 l/2 pintes/5 tasses d'huîtres
    sorties de leur coquille et
    égouttées, leur jus réservé
475 ml/16 oz/2 tasses de lait
475 ml/16 oz/2 tasses de
    crème fleurette
1 pincée de paprika
25 g/1 oz/2 c. à soupe de beurre
sel et poivre noir fraîchement moulu
15 ml/1 c. à soupe de persil frais
    haché, pour la garniture

1 Réunissez le lait, la crème et le jus d'huîtres dans une casserole à fond épais.

2 Chauffez à feu moyen jusqu'à ce que de petites bulles apparaissent sur les bords, en veillant à ne pas faire bouillir. Baissez le feu et incorporez les huîtres.

3 Laissez mijoter en remuant de temps en temps, jusqu'à ce que les huîtres gonflent et que leurs bords se recroquevillent. Ajoutez le paprika et l'assaisonnement.

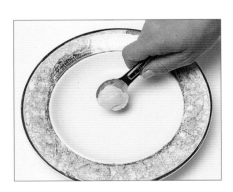

4 Dans le même temps, chauffez 6 assiettes et répartissez le beurre dans chacune.

5 Versez la soupe d'huîtres dans les assiettes et garnissez de persil haché. Servez immédiatement.

VELOUTÉ D'ASPERGES AU CRABE

Cette belle soupe verte met bien en valeur le goût délicat des asperges. On ajoute le crabe au dernier moment, en guise de garniture.

INGRÉDIENTS

Pour 6 à 8 personnes

1,5 kg/3 à 3½ lb d'asperges
   vertes fraîches
175 à 200 g/6 à 7 oz de chair de
   crabe blanche
25 g/1 oz/2 c. à soupe de beurre
1,5 l/2½ pintes/6¼ tasses de
   bouillon de volaille
30 ml/2 c. à soupe de Maïzena
30 à 45 ml/2 à 3 c. à soupe
   d'eau froide
120 ml/4 oz/½ tasse de
   crème fleurette
sel et poivre noir fraîchement moulu

1 Ôtez les extrémités dures des asperges et détaillez les pointes en tronçons de 2,5 cm/1 po.

2 Chauffez le beurre à feu moyen dans une cocotte. Faites cuire les asperges 5 à 6 min, en remuant fréquemment, jusqu'à ce qu'elles deviennent vert vif, mais non dorées.

3 Mouillez avec le bouillon et portez à ébullition à feu vif, en écumant la surface. Laissez mijoter 3 à 5 min à feu moyen, jusqu'à ce que les asperges soient juste tendres. Réservez 12 à 16 pointes d'asperges pour la garniture. Assaisonnez la soupe, couvrez et prolongez la cuisson 15 à 20 min, jusqu'à ce que les asperges soient très tendres.

4 Mixez la soupe, puis passez-la au moulin à légumes (lame fine) dans la casserole. Portez à ébullition. Délayez la Maïzena dans l'eau et incorporez-la dans la soupe bouillante, en fouettant jusqu'à épaississement. Ajoutez la crème et rectifiez l'assaisonnement.

5 Répartissez la soupe dans des assiettes et garnissez chacune d'1 cuillerée de chair de crabe et de quelques pointes d'asperges.

SOUPE AUX PALOURDES ET AU MAÏS

*Les palourdes en conserve ou
en saumure, une fois égouttées,
peuvent parfaitement remplacer
les palourdes fraîches.*

INGRÉDIENTS

Pour 4 personnes

40 palourdes
350 g/12 oz/3 tasses de jeunes épis
   de maïs
300 ml/$^1/_2$ pinte/1$^1/_4$ tasses de
   crème fraîche
75 g/3 oz/6 c. à soupe de beurre
1 petit oignon finement haché
1 pomme évidée et émincée
1 gousse d'ail écrasée
45 ml/3 c. à soupe de curry doux
   en poudre
225 g/8 oz de pommes de terre
   nouvelles cuites
24 petits oignons blancs bouillis
600 ml/1 pinte/2$^1/_2$ tasses de fumet
   de poisson
sel et poivre noir fraîchement moulu
8 quartiers de citron vert, pour
   l'accompagnement (facultatif)

3 Dans une autre casserole, faites fondre le reste de beurre et mettez le maïs, les pommes de terre et les petits oignons à cuire 5 min à feu doux. Augmentez le feu, puis incorporez le mélange à la crème et le fumet. Portez à ébullition.

4 Ajoutez les palourdes. Couvrez et faites cuire jusqu'à ce que les coquilles s'ouvrent (jetez celles qui restent fermées). Assaisonnez et servez la soupe aussitôt, éventuellement accompagnée de quartiers de citron vert.

1 Faites cuire la crème fraîche à feu vif jusqu'à ce qu'elle soit réduite de moitié.

2 Dans une grande casserole, chauffez la moitié du beurre, puis faites revenir l'oignon, la pomme, l'ail et le curry, jusqu'à ce que l'oignon soit transparent. Ajoutez la crème réduite et mélangez bien.

SOUPE AUX MOULES SAFRANÉE

Cette soupe provençale aux fruits de mer est l'une des meilleures qui soient. Pour un déjeuner rapide, on laisse généralement toutes les moules dans leurs coquilles et on accompagne la soupe de pain.

INGRÉDIENTS

Pour 4 à 6 personnes

1 kg/2¼ lb de moules nettoyées et bien brossées

quelques filaments de safran

40 g/1½ oz/3 c. à soupe de beurre doux

8 échalotes finement hachées

1 bouquet garni

5 ml/1 c. à thé de grains de poivre noir

350 ml/12 oz/1½ tasses de vin blanc sec

2 poireaux moyens finement hachés

1 bulbe de fenouil finement haché

1 carotte finement hachée

1 l/1¾ pintes/4 tasses de fumet de poisson ou de bouillon de volaille

30 à 45 ml/2 à 3 c. à soupe de Maïzena délayée dans 45 ml/3 c. à soupe d'eau froide

120 ml/4 oz/½ tasse de crème fleurette

1 tomate moyenne pelée, épépinée et finement hachée

30 ml/2 c. à soupe de pastis (facultatif)

sel et poivre noir fraîchement moulu

1 Chauffez la moitié du beurre dans une grande cocotte, sur feu moyen. Faites revenir la moitié des échalotes 1 à 2 min, sans les laisser brunir. Ajoutez le bouquet garni, les grains de poivre et le vin blanc, et portez à ébullition. Mettez les moules, couvrez hermétiquement et laissez cuire 3 à 5 min, en remuant la cocotte de temps en temps, jusqu'à ce que les moules soient ouvertes.

2 À l'aide d'une écumoire, transférez les moules dans une jatte. Passez le jus de cuisson au tamis fin et réservez.

3 Sortez les moules de leurs coquilles et jetez celles qui sont restées fermées.

4 Chauffez le reste de beurre à feu moyen et faites revenir le reste des échalotes 1 à 2 min. Ajoutez les poireaux, le fenouil, la carotte et le safran, puis laissez mijoter 3 à 5 min.

5 Mouillez avec le jus de cuisson réservé, puis portez à ébullition et faites cuire 5 min jusqu'à ce que les légumes soient tendres et le jus légèrement réduit. Ajoutez le fumet ou le bouillon et portez à ébullition, en écumant la surface. Assaisonnez et prolongez la cuisson de 5 min.

6 Incorporez la Maïzena délayée et laissez mijoter 2 à 3 min, jusqu'à épaississement, puis ajoutez la crème, les moules, la tomate hachée et le pastis, le cas échéant. Réchauffez le tout 1 à 2 min et servez la soupe immédiatement.

SOUPE DE RAVIOLIS CHINOIS AUX FRUITS DE MER

*Voici une variante de la célèbre
soupe chinoise aux* wontons
(raviolis chinois).

INGRÉDIENTS

Pour 4 personnes

20 carrés de pâte à *wontons*
50 g/2 oz de grosses crevettes
    roses crues
50 g/2 oz de petites noix de
    Saint-Jacques sans corail
75 g/3 oz de filet de morue écaillé,
    grossièrement haché
15 ml/1 c. à soupe de ciboulette
    fraîche ciselée
5 ml/1 c. à thé de xérès sec
1 petit blanc d'œuf légèrement battu
2.5 ml/½ c. à thé d'huile de sésame
1.5 ml/¼ c. à thé de sel
1 généreuse pincée de poivre
    blanc moulu
2 feuilles de romaine émincées
900 ml/1½ pintes/3¾ tasses de
    fumet de poisson
coriandre fraîche, pour la garniture

3 Passez la morue au mixer, puis mélangez-la dans une jatte avec les crevettes, les noix de Saint-Jacques, la ciboulette, le xérès sec, le blanc d'œuf, l'huile de sésame, le sel et le poivre. Remuez bien, couvrez et laissez mariner 20 min au frais.

5 Portez une grande casserole d'eau à ébullition. Plongez les *wontons* dedans et, quand l'eau se remet à bouillir, baissez le feu et laissez frémir 5 min, jusqu'à ce qu'ils remontent à la surface. Égouttez-les et répartissez-les dans des assiettes chaudes.

1 Décortiquez les crevettes et ôtez les veines. Rincez, séchez sur du papier absorbant et hachez-les.

4 Préparez les *wontons*. Déposez 5 ml/1 c. à thé de farce au centre d'1 carré de pâte, puis rassemblez les coins sur le dessus. Tordez-les légèrement pour bien enfermer la farce. Procédez de même pour le reste des *wontons*. Fermez-les éventuellement en faisant un nœud à l'aide d'1 brin de ciboulette.

6 Disposez un peu de romaine dans chaque assiette. Portez le fumet de poisson à ébullition, puis versez-le sur les *wontons* et la salade. Garnissez de coriandre et servez immédiatement.

2 Rincez et séchez les noix de Saint-Jacques, puis hachez-les en petits morceaux.

CONSEIL
On peut préparer les *wontons*
à l'avance et les conserver
au congélateur. Il suffira de les
cuire sans décongélation.

BISQUE DE HOMARD

*Le homard, à la carapace bleu
violacé, passe pour être le roi
des crustacés. Cuit, il se teinte
d'une belle coloration rouge vif.
Ce potage très prestigieux
conviendra aux grandes occasions.*

INGRÉDIENTS

Pour 4 personnes

1 homard cuit (d'environ 675 g/1½ lb)
30 ml/2 c. à soupe d'huile végétale
115 g/4 oz/½ tasse de beurre
2 échalotes finement hachées
le jus d'½ citron
45 ml/3 c. à soupe de cognac
1 feuille de laurier
1 brin de persil frais, plus un peu
    pour la garniture
1 lamelle de macis
1,2 l/2 pintes/5 tasses de fumet
    de poisson
40 g/1½ oz/3 c. à soupe de farine
45 ml/3 c. à soupe de crème fraîche
sel et poivre noir fraîchement moulu
1 pincée de piment de Cayenne,
    pour la garniture

1 Préchauffez le four à 180 °C/
350 °F. Aplatissez le homard et
fendez-le dans la longueur. Retirez
la poche de l'estomac, l'intestin cen-
tral et le corail (le cas échéant).

2 Chauffez l'huile et 25 g/1 oz/
2 c. à soupe de beurre dans un
grand plat à four allant sur le feu.
Faites revenir le homard 5 min, côté
chair dessous. Ajoutez les échalotes, le jus de citron et le cognac,
puis enfournez pour 15 min.

3 Retirez la chair de la carapace
du homard. Mettez la carapace et
le jus de cuisson dans une grande
casserole et laissez mijoter 30 min
avec le laurier, le persil, le macis
et le fumet. Filtrez le liquide, puis
hachez finement 15 ml/1 c. à soupe
de chair. Passez le reste au mixer
avec 40 g/1½ oz/3 c. à soupe de
beurre.

4 Faites fondre le reste de beurre,
incorporez la farine et faites cuire
30 s à feu doux. Mouillez peu à
peu avec le fumet et portez à
ébullition, sans cesser de remuer.
Ajoutez la chair mixée, la crème
fraîche et l'assaisonnement.

5 Répartissez la bisque chaude
dans des assiettes. Garnissez de
chair de homard hachée, de brins
de persil et d'1 pincée de piment
de Cayenne.

SOUPE DE CREVETTES À L'OMELETTE

Cette soupe japonaise conférera une touche inhabituelle et exotique à vos repas de fête.

INGRÉDIENTS

Pour 4 personnes

900 ml/1¹⁄₂ pintes/3³⁄₄ tasses de bouillon de base japonais *(voir p. 15)* ou de *dashi* instantané

5 ml/1 c. à thé de sauce de soja

1 filet de saké ou de vin blanc sec

sel

1 oignon nouveau finement émincé, pour la garniture

Pour les boulettes *shinjo* **aux crevettes**

200 g/7 oz de grosses crevettes crues, décortiquées

65 g/2¹⁄₂ oz de filet de morue écaillé

5 ml/1 c. à thé de blanc d'œuf

5 ml/1 c. à thé de saké ou de vin blanc sec

22.5 ml/4¹⁄₂ c. à thé de Maïzena ou de fécule de pomme de terre

2 à 3 gouttes de sauce de soja

Pour l'omelette

1 œuf battu

1 filet de *mirin*

huile à friture

1 Ôtez la veine des crevettes, puis passez celles-ci, la morue, le blanc d'œuf, 5 ml/1 c. à thé de saké ou de vin blanc, la Maïzena ou la fécule, la sauce de soja et 1 pincée de sel au mixer. Ou bien hachez finement les crevettes et la morue, écrasez-les avec la lame d'un couteau, puis broyez-les dans un mortier avec un pilon avant d'ajouter le reste des ingrédients.

2 Formez 4 boulettes avec la pâte et faites-les cuire 10 min à la vapeur, sur feu vif. Pendant ce temps, trempez l'oignon nouveau émincé 5 min dans un bol d'eau froide, puis égouttez-le.

3 Pour préparer l'omelette, mélangez l'œuf avec 1 pincée de sel et le *mirin*. Chauffez un peu d'huile dans une poêle, puis versez le mélange en inclinant la poêle. Quand l'œuf a pris, retournez l'omelette et faites-la cuire encore 30 s. Laissez refroidir. Portez le bouillon ou le *dashi* à ébullition et ajoutez la sauce de soja, 1 pincée de sel et le saké ou le vin.

4 Coupez l'omelette en lanières de 2 cm/³⁄₄ po de large. Formez un nœud avec chacune et rincez à l'eau chaude pour ôter l'excédent d'huile. Répartissez les boulettes de crevettes et les nœuds d'omelette dans des assiettes. Versez le bouillon et garnissez d'oignon nouveau.

SOUPE THAÏLANDAISE DE FRUITS DE MER

La sauce de poisson thaïlandaise, ou nam pla, s'utilise abondamment dans la cuisine thaï. On la trouve dans les boutiques asiatiques et la plupart des supermarchés.

INGRÉDIENTS

Pour 4 personnes

- 350 g/12 oz de grosses crevettes crues
- 4 noix de Saint-Jacques
- 24 moules brossées
- 115 g/4 oz de filet de lotte coupé en morceaux de 2 cm/³/₄ po
- 15 ml/1 c. à soupe d'huile d'arachide
- 1,2 l/2 pintes/5 tasse de bouillon de volaille ou de fumet de poisson, bien parfumés
- 1 tige de citronnelle écrasée et coupée en tronçons de 2,5 cm/1 po
- 2 feuilles de citronnier, déchirées en petits morceaux
- le jus et le zeste finement râpé d'1 citron vert
- ½ piment vert frais épépiné et finement émincé
- 10 ml/2 c. à thé de *nam pla*

Pour la garniture

- 1 feuille de citronnier émincée
- ½ piment rouge frais finement émincé

1 Décortiquez les crevettes en réservant les carapaces et ôtez les veines noires dorsales.

2 Chauffez l'huile dans une casserole et mettez les carapaces à rosir. Ajoutez le bouillon ou le fumet, la citronnelle, les feuilles de citronnier, le zeste de citron et le piment. Portez à ébullition, laissez mijoter 20 min, puis filtrez en réservant le jus.

3 Coupez les noix de Saint-Jacques en deux, en gardant le corail fixé à une moitié.

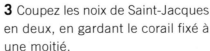

4 Remettez le jus réservé dans la casserole, incorporez les crevettes, les moules, la lotte et les noix de Saint-Jacques et faites cuire 3 min. Hors du feu, ajoutez le jus de citron et le *nam pla*.

5 Servez la soupe garnie de feuille de citronnier et de piment rouge finement émincés.

POTAGE DU MARIN

Toutes les variétés de poissons bien fermes conviendront pour ce potage, mais n'omettez pas le haddock, dont le petit goût fumé est indispensable.

INGRÉDIENTS

Pour 4 personnes

- 225 g/8 oz de filet de haddock non coloré
- 225 g/8 oz de filet de lotte frais
- 20 moules brossées
- 115 g/4 oz de crevettes cuites décortiquées
- 2 tranches de poitrine fumée (facultatif)
- 15 ml/1 c. à soupe d'huile d'olive
- 1 échalote finement hachée
- 225 g/8 oz de carottes grossièrement râpées
- 150 ml/¼ pinte/⅔ tasse de crème fraîche
- sel et poivre noir fraîchement moulu
- 30 ml/2 c. à soupe de persil frais haché, pour la garniture

1 Dans une grande cocotte, faites pocher le haddock et la lotte 5 min dans 1,2 l/2 pintes/5 tasses d'eau, puis ajoutez les moules et couvrez.

2 Prolongez la cuisson de 5 min, jusqu'à ce que les moules soient ouvertes. Éliminez celles qui sont restées fermées. Filtrez le bouillon, remettez-le dans la cocotte et réservez.

3 Émiettez grossièrement le haddock, en ôtant la peau et les arêtes. Coupez la lotte en gros morceaux. Détaillez la poitrine fumée en lanières, le cas échéant.

4 Chauffez l'huile dans une poêle à fond épais et faites revenir l'échalote et la poitrine fumée 3 à 4 min. Mettez-les dans le bouillon de poisson, portez à ébullition, puis ajoutez les carottes et faites cuire 10 min.

5 Incorporez la crème fraîche, le haddock, la lotte, les moules et les crevettes, et réchauffez le tout sans faire bouillir. Assaisonnez, puis répartissez le potage dans des assiettes. Garnissez de persil haché et servez aussitôt.

BISQUE DE CRABE AU MAÏS

Cette spécialité de Louisiane est très longue à préparer, mais le résultat en vaut largement la peine. La carapace de crabe et les épis de maïs égrenés donneront un délicieux bouillon.

INGRÉDIENTS
Pour 8 personnes
   1 crabe cuit (d'environ 1 kg/2¼ lb)
   4 gros épis de maïs doux
   2 feuilles de laurier
   25 g/1 oz/2 c. à soupe de beurre
   30 ml/2 c. à soupe de farine
   300 ml/½ pinte/1¼ tasses de
      crème fleurette
   6 oignons nouveaux émincés
   1 pincée de piment de Cayenne
   sel et poivre noir fraîchement moulu

1 Épluchez les épis de maïs et égrenez-les.

2 Réservez les grains de maïs et mettez les épis dans une grande cocotte avec 3 l/5 pintes/12½ tasses d'eau froide, les feuilles de laurier et 10 ml/2 c. à thé de sel. Portez à ébullition, puis laissez mijoter pendant que vous préparez le crabe.

3 Retirez les 2 rabats qui se trouvent entre les pinces du crabe, placez le crabe sur le « nez », là où étaient les rabats, et frappez-le fermement du poing, sur la partie convexe.

4 Séparez la carapace supérieure et réservez-la.

5 Retirez la bouche du crabe, ainsi que la poche abdominale située juste en dessous, et jetez-les.

6 Jetez les branchies qui entourent la cavité centrale. Grattez la chair brune semi-liquide de la carapace et réservez-la.

7 Brisez les pinces de façon à récupérer toute la chair qui se trouve dans les cavités fragiles du corps du crabe. Réservez-la. Mettez les pattes, la carapace dorsale et les autres morceaux dans la cocotte avec les épis. Laissez mijoter encore 15 min, puis filtrez le bouillon dans une casserole et faites cuire à feu vif jusqu'à ce qu'il soit réduit à 2 l/3½ pintes/9 tasses.

8 Pendant ce temps, faites fondre le beurre dans une petite casserole et incorporez la farine. Remuez constamment à feu doux jusqu'à ce que le roux se colore.

9 Hors du feu, incorporez peu à peu 250 ml/8 oz/1 tasse du bouillon. Remettez sur le feu et remuez jusqu'à épaississement avant d'incorporer cette sauce dans la cocotte de bouillon.

10 Ajoutez les grains de maïs, portez de nouveau à ébullition et laissez mijoter 5 min.

11 Incorporez la chair de crabe, la crème fraîche et les oignons nouveaux, et assaisonnez. Prolongez la cuisson 2 min, puis servez la bisque, accompagnée de pain frais ou de gressins.

SOUPE DE POISSON À LA ROUILLE

Ce plat provençal typique comporte diverses sortes de poissons, ainsi qu'une généreuse quantité de safran et d'herbes aromatiques. La rouille, très épicée, sera servie à part pour relever la soupe.

INGRÉDIENTS

Pour 6 personnes

3 rougets barbets écaillés et vidés
12 grosses crevettes
675 g/1½ lb de poisson blanc
    (morue, églefin, flétan ou lotte)
225 g/8 oz de moules
1 oignon coupé en quartiers
1,2 l/2 pintes/5 tasses d'eau
5 ml/1 c. à thé de filaments de safran
75 ml/5 c. à soupe d'huile d'olive
1 bulbe de fenouil
    grossièrement haché
4 gousses d'ail écrasées
3 morceaux de zeste d'orange
4 brins de thym
675 g/1½ lb de tomates ou 400 g/
    14 oz de tomates concassées
    en conserve
30 ml/2 c. à soupe de purée de
    tomates séchées
3 feuilles de laurier
sel et poivre noir fraîchement moulu
Pour la rouille
1 poivron rouge épépiné
    et grossièrement haché
1 piment rouge frais, épépiné
    et émincé
2 gousses d'ail écrasées
75 ml/5 c. à soupe d'huile d'olive
15 g/½ oz/¼ tasse de mie de pain
    émiettée

1 Pour faire la rouille, passez tous les ingrédients au mixer. Transférez dans une saucière et conservez au réfrigérateur.

CONSEIL
Pour gagner du temps, commandez le poisson à l'avance et demandez à votre poissonnier de vous le préparer.

2 Coupez les rougets en séparant la chair de l'arête dorsale. Réservez les têtes et les arêtes. Détaillez les filets en petits morceaux. Décortiquez la moitié des crevettes et réservez les carapaces. Écaillez le poisson blanc en jetant les arêtes et détaillez-le en gros morceaux. Brossez les moules et jetez celles qui restent ouvertes.

3 Dans une casserole, réunissez les têtes et les arêtes des poissons et les carapaces des crevettes, ainsi que l'oignon et l'eau. Portez à ébullition, puis laissez mijoter 30 min à feu doux. Laissez refroidir légèrement et filtrez au tamis.

4 Faites tremper le safran dans 15 ml/1 c. à soupe d'eau bouillante. Chauffez 30 ml/2 c. à soupe d'huile dans une grande sauteuse et saisissez les poissons à feu vif pendant 1 min. Égouttez-les.

5 Chauffez le reste d'huile et faites revenir le fenouil, l'ail, le zeste d'orange et le thym jusqu'à ce qu'ils commencent à dorer. Allongez le bouillon passé avec de l'eau pour obtenir 1,2 l/2 pintes/5 tasses.

6 Si vous utilisez des tomates fraîches, plongez-les 30 s dans l'eau bouillante, puis rafraîchissez-les. Pelez-les et hachez-les. Versez le bouillon dans la sauteuse avec le safran, les tomates, la purée de tomates séchées et le laurier. Assaisonnez, faites frémir, puis laissez mijoter 20 min à couvert.

7 Incorporez les morceaux de poissons, les crevettes décortiquées et celles qui ne le sont pas, ainsi que les moules. Couvrez et prolongez la cuisson de 3 à 4 min. Jetez les moules qui sont restées fermées. Servez la soupe bien chaude, accompagnée d'un bol de rouille.

SOUPE ONCTUEUSE À LA MORUE

Le goût puissant de la morue fumée contraste agréablement avec le velouté de la soupe. Servez-la en entrée avant un plat léger et accompagnez-la de pain de campagne frais.

INGRÉDIENTS

Pour 4 à 6 personnes

350 g/12 oz de filets de
  morue fumée
1 petit oignon finement haché
1 feuille de laurier
4 grains de poivre noir
900 ml/1½ pintes/3¾ tasses de lait
10 ml/2 c. à thé de Maïzena
10 ml/2 c. à thé d'eau froide
200 g/7 oz de maïs doux en conserve
15 ml/1 c. à soupe de persil frais
  haché

CONSEIL

Cette soupe sera encore plus parfumée si elle est confectionnée à l'avance. Gardez-la au réfrigérateur, puis réchauffez-la à feu doux pour éviter que le poisson ne se défasse.

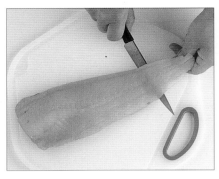

1 Ôtez la peau de la morue avec un couteau et mettez la chair dans une grande casserole avec l'oignon, le laurier, le poivre et le lait.

2 Portez à ébullition, puis baissez le feu et laissez mijoter 12 à 15 min à feu très doux, en veillant à ne pas faire trop cuire le poisson.

3 À l'aide d'une écumoire, retirez le poisson et détaillez-le en gros morceaux. Jetez le laurier et les grains de poivre.

4 Délayez délicatement la Maïzena dans l'eau et versez-la dans la casserole. Portez à ébullition, puis laissez mijoter 1 min, jusqu'à épaississement.

5 Égouttez le maïs et mettez-le dans la casserole avec le poisson et le persil.

6 Réchauffez le tout sans faire bouillir, en veillant à ce que le poisson ne se défasse pas. Répartissez la soupe dans des assiettes et servez aussitôt.

SOUPE AUX PALOURDES ET AU BASILIC

Subtilement sucrée et épicée, cette soupe forme une entrée idéale pour un repas de fête.

INGRÉDIENTS

Pour 4 à 6 personnes

225 g/8 oz de palourdes surgelées
   dans leurs coquilles
5 à 6 feuilles de basilic frais,
   plus un peu pour la garniture
30 ml/2 c. à soupe d'huile d'olive
1 oignon moyen finement haché
les feuilles d'1 brin de thym frais
   ou séché, hachées
2 gousses d'ail écrasées
1.5 à 2.5 ml/¼ à ½ c. à thé de
   piment rouge écrasé, selon le goût
1 l/1¾ pintes/4 tasses de fumet
   de poisson
350 ml/12 oz/1½ tasses de *passata*
   (purée de tomates)
5 ml/1 c. à thé de sucre en poudre
90 g/3½ oz/1 tasse de petits
   pois surgelés
65 g/2½ oz/⅔ tasse de
   petites pâtes
sel et poivre noir fraîchement moulu

1 Chauffez l'huile dans une grande casserole et faites fondre l'oignon 5 min. Ajoutez le thym, puis l'ail, le basilic et le piment.

CONSEIL

Les palourdes surgelées en coquille s'achètent chez le poissonnier et dans les supermarchés. À défaut, utilisez des coquillages en conserve, au naturel (pas au vinaigre). Les traiteurs italiens vendent des bocaux de palourdes fraîches non décoquillées. Elles sont délicieuses et ne coûtent pas trop cher. Pour les grandes occasions, incorporez-en quelques-unes dans la soupe.

2 Incorporez le fumet de poisson, la *passata* et le sucre, et assaisonnez. Portez à ébullition, puis baissez le feu et laissez mijoter 15 min, en remuant de temps en temps. Ajoutez les petits pois et prolongez la cuisson 5 min.

3 Mettez les pâtes et portez de nouveau à ébullition, en remuant. Baissez le feu et laissez mijoter 5 min (ou selon les instructions du paquet), en tournant fréquemment, jusqu'à ce que les pâtes soient *al dente.*

4 Réduisez le feu à doux, ajoutez les palourdes et réchauffez le tout 2 à 3 min. Goûtez et rectifiez l'assaisonnement. Servez la soupe bien chaude, garnie de feuilles de basilic frais.

SOUPE DE PÂTES AUX FOIES DE VOLAILLE

Cette soupe peut être servie aussi bien en entrée qu'en plat de résistance. Les foies de volaille lui confèrent un goût exceptionnel.

INGRÉDIENTS
Pour 4 à 6 personnes
50 g/2 oz/½ tasse de petites pâtes
115 g/4 oz/½ tasse de foies de volaille
15 ml/1 c. à soupe d'huile d'olive
1 noix de beurre
4 gousses d'ail écrasées
3 brins de chacune des herbes suivantes hachées : persil, marjolaine et sauge
1 brin de thym frais haché
5 à 6 feuilles de basilic frais hachées
15 à 30 ml/1 à 2 c. à soupe de vin blanc sec
2 boîtes de 300 g/11 oz de consommé de poulet concentré
225 g/8 oz/2 tasses de petits pois surgelés
2 à 3 oignons nouveaux émincés en diagonale
sel et poivre noir fraîchement moulu

1 Détaillez les foies en petits morceaux à l'aide de ciseaux. Chauffez l'huile et le beurre dans une poêle et faites revenir quelques minutes l'ail, les herbes, le sel et le poivre à feu doux. Ajoutez les foies, augmentez le feu et faites-les revenir quelques minutes, jusqu'à ce qu'ils changent de couleur et se dessèchent. Mouillez avec le vin et faites cuire jusqu'à ce que celui-ci s'évapore, puis retirez du feu.

2 Versez les 2 boîtes de consommé dans une grande casserole. Allongez avec la quantité d'eau recommandée sur l'étiquette et 1 boîte d'eau supplémentaire. Salez, poivrez et portez à ébullition.

3 Incorporez les petits pois et laissez mijoter 5 min, puis mettez les pâtes et portez de nouveau à ébullition en remuant. Poursuivez la cuisson environ 5 min (ou selon les instructions du paquet), en tournant fréquemment, jusqu'à ce que les pâtes soient *al dente.*

4 Ajoutez les foies sautés et les oignons nouveaux, et réchauffez le tout 2 à 3 min. Servez la soupe très chaude.

SOUPE DE LAIT DE COCO AU GINGEMBRE

Cette soupe aromatique doit son onctuosité au lait de coco.

INGRÉDIENTS

Pour 4 à 6 personnes

750 ml/1¼ pintes/3 tasses de lait de coco

4 tiges de gingembre légèrement écrasées et hachées

475 ml/16 oz/2 tasses de bouillon de volaille

1 morceau de *galanga* de 2,5 cm/ 1 po, finement émincé

10 grains de poivre noir concassés

10 feuilles de citronnier hachées

300 g/11 oz de poulet sans peau ni os, détaillé en fines lamelles

115 g/4 oz de petits champignons de Paris

50 g/2 oz/½ tasse de jeunes épis de maïs

60 ml/4 c. à soupe de jus de citron vert

45 ml/3 c. à soupe de sauce de poisson

Pour la garniture

2 piments rouges hachés

3 à 4 oignons nouveaux hachés

coriandre fraîche hachée

1 Portez le lait de coco et le bouillon à ébullition dans une casserole. Ajoutez le gingembre, le *galanga*, le poivre et la moitié des feuilles de citronnier, puis baissez le feu et laissez mijoter 10 min.

2 Passez le bouillon dans une cocotte. Remettez sur le feu, puis incorporez le poulet, les champignons et le maïs. Prolongez la cuisson 5 à 7 min, jusqu'à ce que le poulet soit cuit.

3 Ajoutez le jus de citron vert, la sauce de poisson (à votre goût) et le reste des feuilles de citronnier. Servez la soupe chaude, garnie de piment, d'oignons nouveaux et de coriandre fraîche hachée.

SOUPE AU BŒUF ET AUX FRUITS ROUGES

Les fruits rouges frais donnent une note insolite à cette soupe exotique.

INGRÉDIENTS
Pour 4 personnes

450 g/1 lb de bifteck tendre
115 g/4 oz/1 tasse de fruits rouges (airelles, myrtilles ou mûres) légèrement écrasés
30 ml/2 c. à soupe d'huile végétale
2 oignons moyens finement émincés
25 g/1 oz/2 c. à soupe de beurre
1 l/1¾ pintes/4 tasses de bouillon de bœuf
2.5 ml/½ c. à thé de sel
15 ml/1 c. à soupe de miel

1 Chauffez l'huile dans une cocotte jusqu'à ce qu'elle soit fumante. Saisissez le bifteck à feu vif, sur les deux faces. Réservez.

2 Mettez les oignons à revenir avec le beurre dans la cocotte, sur feu doux. Remuez bien en raclant le jus de cuisson. Faites mijoter 8 à 10 min, jusqu'à ce que les oignons soient fondus.

3 Mouillez avec le bouillon, salez et portez à ébullition en mélangeant bien. Incorporez les fruits écrasés et le miel. Poursuivez la cuisson 20 min.

4 Pendant ce temps, coupez la viande en fines lanières. Goûtez la soupe et ajoutez du sel ou du miel si nécessaire. Incorporez la viande et réchauffez la soupe 30 s en remuant avant de servir.

INDEX